목성에 닿는 소리

구창준

남인서

박병준

박성환

배성한

윤예원

이다은

이하승

성균관대학교 글쓰기 모임

글을 잊은 당신에게

글라 당신과 나를 잊지 않기로.
　　　　　이하승 하.

　　　　　　　　　고이 홀려 보내면
　　　　　　　　　누군가의 파란나라.
　　　　　　　　　박 병 준

클러야지
　저 마다로
　　이제 난 자유다
　　　　　- 배승한

　　　　　내게 이해를 바라는
　　　　　모든 이들로부터.
　　　　　之 + 이다은

마지막으로 한 번만 더 나를
저 수평선 끝으로, 저 잠 위로 올려다오

　　　　　구창근 2022

　　　　　　　　　　여러분이 있어서
　　　　　　　　　　정말 다행입니다
　　　　　　　　　　윤예원

넘어서

"흐렸다 침묵"의 형상화

잉크젯 프린트, 종이 (Inkjet print on paper)
12.7cm x 18.8cm
2024

머리말

'글을 잊은 당신에게'

이 모임은 글쓰기를 좋아하는 사람들이 스스로에게 하는 다짐에서 시작되었다. 글을 잊고 싶지 않다는 마음으로 2022년 3월에 시작된 작은 동아리는 시간이 흘러 몇 명의 대학원생과 몇 명의 졸업자와 더불어 두 명의 취업자를 배출하고 어느새 두 번째 문집을 발간하기에 이르렀다.

목요일마다 카페에서 만나 글을 쓰고 이야기하던 시간이 언젠가부터 온라인으로 바뀌고, 그조차도 여의치 않아 만남 없이 각자의 시간 속에서 써야 했음에도 끝까지 글을 마무리해준 부원들에게 감사의 인사를 전한다. 서로의 삶의 거리가 점점 멀어지면서 현실은 예전만큼 공상에 빠질 틈을 주지 않았다. 그렇기에 난관을 헤치고 이 끝에 도달한 활자들이 더욱 소중하다.

한 사람의 세계는 하나의 우주와도 같다. 글을 쓰는 행위는 그 우주의 일부분을 밖으로 꺼내는 것이다. 머릿속에서 끓어오르는 생각을 흰 종이 위에 토해내고 정갈하게 다듬으면서 때로는 즐거웠고, 때로는 깊게 가라앉았으며, 때로는 창작의 고통에 몸부림쳤다. 그렇게 빚어낸 글을 돌려보며 우리는 타인의 우주를 인식하고 자신의 우주를 넓혀갔다.

먼 훗날 이 책을 다시 펼친다면 '그때의 나는 어떻게 이런 걸 쓸 수 있었나?'와 같은 질문을 하게 될 테다. 그저 어린 날의 치기일까? 아니면 누가 이런 걸 쓰라고 계시라도 준 걸까? 사실 우리가 쓴 글은 다른 우주에 사는 누군가가 전해준 이야기일지도 모른다. 외계로부터의 신호가 잠든 사이 우리의 머릿속에 파고들어 장차 포도나무가 될 씨앗을 심어놓고 갔을

지도. 그렇다면 이 글들은, 외계로부터 온 그 신호에 대한 답신일지도 모른다.

그게 무엇이든 우리는 계속 썼다. 빚어내고 부수고 고치며 '쓰는 사람'으로 살았다. 그렇게 짧지 않은 기간 동안 쓴 글들을 한 권의 책으로 모았다. 책의 목차는 태양계 행성으로 구성되어 있다. 수성에는 시, 금성에는 에세이와 편지, 지구에는 단편 소설, 마지막으로 화성에는 중장편 소설을 담았다.

이 책은 목성에 있는 외계인에게 보내는 신호, 글을 잊은 당신에게 닿길 바라는 마음. 혹은 소중한 무언가를 잊어버렸을지도 모르는 미래의 우리에게 보내는 편지이다. 이 글이 또 다른 우주에 전해지기를 바라는 마음으로 책을 펴낸다.

2024년 7월
여우비가 내리는 여름날에
남인서

작가 소개

구창준

크로키 드로잉을 취미로 한다.

혼자 야외 벤치에 앉아서 소설책을 읽는 것을 좋아한다.

클라이밍과 달리기를 즐겨 한다.

꽃과 초여름 저녁 시간대를 좋아한다.

남인서

글과 책과 꿈과 벽 사이에서 춤추는 삶.

박병준

ㄴ()w()ㄱ → 소개가 어려워 또 도망치는 모습

박성환

평소엔 별 생각 없이 편하게 지내다가, 가끔 생각이
많아지는 시간이면 일기나 시 같은 걸 써봅니다.
항상 글을 쓰고 나면 아쉬움이 남는 듯해요.
바라는 글은 담백하면서도 화려한 글인데 쓰다 보면
항상 어딘가로 쏠리는 게 어쩔 수 없는 걸까요.
아직 잘 모르겠지만 그래도 글 쓰는 게 재미있습니다!

배성한

저 하늘의 구름에 닿도록
바람아 나를 떠올려다오

윤예원

재주 예(藝)와 으뜸 원(元) 자를 씁니다

숲과 나무 반짝임과 별 낭만과 눈물 이야기, 사랑

이다은

쓰고 그리고 읽는 행위, 그 속에 더 나아지는 길이
있다고 믿습니다.

이하승

자로 곧게 긋는 직선보다 손으로 반듯하게 그은 선을
더 좋아합니다. 악보는 모르지만 음악을 즐기고, 예술
을 사랑합니다. 모든 것이 귀찮아도 숨을 쉬고 있는
이 순간을 좋아합니다.

차례

—————————— 금 성 ——————————

수 성

침묵의 모양

밤은 아늑했다

아침이 되면 햇살이 가득 들어온다고 당신이 말했다 나긋하게 안긴 기타, 굵기가 다른 줄들이 한 목소리로 속삭이고 루프스테이션은 기억을 복기했다

어떤 페달은 메아리 어떤 페달은 왜곡을 연주한다 앰프 철망 사이로 아름다운 이별의 기억이 흘러나왔다 당신이 되고 싶은 나는 침묵을 지켰고 당신은 액자에 걸린 독립 영화의 포스터가 되었다

보여줄 수 있는 흉터가 없어서

책장 가득한

시집을

훑어

내렸다

글자들이

손톱 끝에

대롱대롱 매달렸다

동여맨 눈꺼풀 사이로

겨울이 내린다

얼었던 눈이

못내 질척여질 때

비밀은

사라질 준비를 한다

침묵의 모양 2

눈을 맞췄다
두려워서
손에 든 유리잔을 떨어트릴까봐

잔에는
얼음이 담겨 있었거든
유리가 깨지면
얼음과 구분할 수 없을 테니까

감싸는 존재에 대해
투명한 얼음을 감싸는 투명한 유리에 대해
불투명한 손을 감싸는 불투명한

투명한 것들은 구분되어야한다

한데 뒤섞인 파편

얼음이 녹고 나면

따옴표 조각들만 남는다

투명은 의지의 영역이다

침묵의 용도는 투명

깨진 조각이 얼음인지 유리인지

출신 성분을 구분하지 않는 너그러움을 보일 수 있
다

그럼으로써 더 나은 사람이 되기

침묵의 용도는 공감

인형에게 옷을 입히기 위해

점선을 따라 가위질하는 것과 같아

옷을 입는 건 납작한 인형 그림
그러나 속는 것은 가위를 들고 있는
우리는
서로를 속인 것을 자랑스러워하며
파란 소파에
나란히 앉았다
시곗줄이
툭
끊어졌다

도망치는 밤

행진 행진 그리고 행진
총소리가 울리면 사람이 사라져
주인 없는 침대는 짐이 돼
아무리 아파도 벗어낼 수 없대

내가 짐이라고 아빠가 말했을 때
코가 자라지 않았는데

난 카를로가 아니야
목각인형도 아니야
꼭두각시도 병정도 아니야

나무결을 따라 흐르는 핫초콜릿
손끝에서 만들어진 아이는

손가락질을 먹고 무럭무럭 자란다

(페인트 총을 맞은 아이는 참호에 엎어진다 전투기
는 먹구름을 찢어놓고 가라 영광을 차지해라 먼저 올
라가는 사람이 승자 두 개의 깃발은 용납할 수 없다
철컥, 진짜와 가짜를 가르는 소리)

죽음은 기다림과 같다고
요정은 모래시계를 뒤집어
더 오래 기다려야 한다고 말하지

토끼와 카드 게임
사방엔 푸른 모래가
나무 팔 나무 다리를 끌어당겨

(별을 단 모자는 듣지 않는 나쁜 아이에게 총을 건
넨다 다른 아이의 손목에서는 핫초콜릿이 뛴다 사람
의 아이는 더 살아있는 아이를 쏘지 못한다)

어른들은 거짓말을 해
짐이라든가 겁쟁이라든가
다 사랑해서라는 걸
나는 알고 있어

내 심장 속에는 세바스찬이 사는데
내가 돌아가지 못하면
아빠의 심장엔 누가 살지?

목의 이야기

굽이치는 소나무 몸통을
겨우 붙들고 있는
손 하나

우리는 그 옆에 나란히
발목을 심었다

무럭무럭 자라렴
발톱 위로 밤이 내렸다
잠이 볕처럼 들어왔다

새로운 핏줄이 땅을 파고들면
눈이 와도 버틸 수 있을 거야
올려다본 표정이 몇 번 바뀌고 나면

머리카락까지 자랄 수 있을까?

우리는 소나무가 들을까봐 조용히 속삭였다

발가락 사이로

흙을 움켜쥐어야 해

기울어지지 않으려면

버티는 목들이 우리에게는……

밤이 내리고

우리는

이내 몽롱해졌다

알아차림

굽이치는 소나무 몸통을

눈이 비처럼

또는 비가 눈처럼

오거나

내리거나

아니면 그저

창밖을 내다보았다

유리는 유리일 뿐

눈부심 투명함 차가움

날카로움은

유리의 것이 아니다

유리는 그냥

눈이 와서
차를 내려 마신다
연잎차는 씁쓸하다
아니 어쩌면

연꽃다리를 만들어
정강이뼈가 서로를 누르도록
숨을 내쉬고 배를 더 가까이
더 아래로
내쉬는 숨에
다시 한 번
고통이 멀어지게
이마에 닿은 바닥의 감촉도
내 것이 아니기에
내려놓았다

스투키와 단감

`

하나 남은 몸통이 노래지고 있다

아래가 먼저 무르면 물이 많아서이고 위가 먼저 마르면 그 반대라고

누군가 말했었다

흙을 걷어냈더니 양 끝이 모두 노래져있다

걸음걸음마다 자갈돌이 툭툭 떨어진다

밤이 되면 몸통들이 옆구리를 뒤트는 소리가 들렸다

죽은 화분 얘기를 편지로 보낼까

하다

그만두었다

계단을 오르기 전에 우편함을 여는 것이 힘들어서

너는 내 안부를 물었지만

그건 그냥
엉킨 머리카락 같은 거니까

꿈을 꾸느라 늦게 일어나버린 아침과
곡면보다 평면이 많아진 단감을
가지런히 손질한다
올리브 오일과 후추 그리고 꿀 한 바퀴
여기에 약속 몇 꼬집만 있으면 딱 좋은데 말이야
해동하기에는 시간이 늦었으니
이대로 온전해지도록 잘 빚어 먹기로 한다

그날 너는 내가 본 적 없는 웃음을 지었고
쏟아지는 말 앞에서
나는 눅눅한 빨래처럼 누워 있었다

너는 분명 단감이었는데
사실은 홍시였을지도 모른다고

만나기 전에 소식을 짐작하는
얼굴을 마주하기 전에 표정을 알고 있는
유리창 사이로 너의 손을 맞대었다
입김이 드러내는 손의 테두리
버석한 나뭇잎들이 말없이 몸을 떨었다

잊어버린 약속을 녹여도 온전해질 수는 없으니

여름내 그린 그림을 다 버렸다고 적었다
평면은 원뿔을 담지 못하기에
앞으로는 그리지 않겠다고 다짐도 했다

물론 내일이면 사라질 것을 안다

빨래가 천천히 마른다
튼 살들이 정전기를 이겨낼 때
햇빛이 쉽게 낮아진다
그림자 하나가 길어진다
귀가 시리면 덮었던 손을 떼어보기로 한다

얼었다 녹은 이불을 한 국자
홍시 맛이 났다
네가 좋아할 것 같았다

상해(傷害)

남겨진 추억은 흉기가 되어 나를 겨눈다
그 날의 하늘은 파랗다 못해 시리고
내리쬐는 햇살은 눈을 부수어 아찔하다

목소리는 칼날처럼 남아 번뜩인다
말끝이 뾰족하여 내 마음을 찌를까
숨은 뜻이 날카로워 손 끝을 벨까
귀를 막아도 서늘함은 남아 괴롭다.

자상이든 절상이든 피가 흐른다면 그걸로 좋다
눈물은 말랐어도 아직 흘릴 것이 남아있지 않느냐

붉은 선혈이 온 몸을 타고 흘러와
발 끝을 적셔 축축하게 하네
떠나는 길은 핏빛 발자국이 남아 끈적여
되돌아갈 엄두조차 내지 못하게 하네

멀어진 자리에 눈물을 두었다.
그것이 혹여 동정으로 여겨질까
또는 고통의 흔적으로 여겨질까
돌아오지 않는다면 모를 일이다
돌아보지 않는다면 모를 일이다.

회고 II

정체성을 찾는 길목에서 너무 많은 것을 사랑해버
린 탓일까
그들 곁을 떠나는 시간들은 고통이었다.
가장 사랑하게 되는 것은 놓아야 할 때.
미련일까, 뒤늦은 아쉬움일까
이별은 거대한 파도를 마주하는 것 같았다.
눈앞에 펼쳐지는 거대하고 슬픈 미래의 장막이
도망갈 새 없이 나를 덮쳐오는 것 같았다.

아프고 난 다음에 평범한 하루의 소중함을 알고
떠난 뒤에야 함께 했던 시절들에 그리움을 느끼고
족쇄가 채워진 후에야 자유의 가치를 알고
나이든 뒤에야 젊음의 찬란함을 깨닫고
늦어버렸을까, 뒤를 돌아보면 내 뒤통수만 보여

닿을 듯 손을 뻗어도 흩어져 사라지는데

나아가야 하면서도 눈을 뗄 수 없어

어디로 가는지도 모른 채

단편이라도 좋으니 그저 파묻히고만 싶어라

경사는 높아져만 가는데

까마득한 오르막에 지쳐 눕고 싶어도

고전 횡스크롤 게임처럼

길은 오직 앞으로만 흐른다

지나간 과거는 어디에 있는가

기억의 편린은 실재하는 것일까

지금의 나를 있게 해준 주춧돌이요,

앞으로도 살게 해줄 동앗줄이요.

기억되지 못한 과거는 사라진다

일 년 전 집 앞 개미가 무엇을 물고 갔느냐

오늘 아침 신발을 신을 때 왼발부터 신었느냐, 오른
발부터 신었느냐

누구의 기억에도 남지 않은 과거는 스스로의 존재
를 증명하지 못한다

증명하지 못한 과거는 사라진다

처음부터 존재하지 않았던 것처럼

돌이켜볼 수 있는 것은

수많은 과거 중 기억에 남은 조각 뿐

흐려지지 않게, 계속 꺼내 바라보면

기억은 추억이 되어

머리가 아닌 가슴 속에 남을 테다.

고슴도치

찔렸네 고슴도치 등의 오밀조밀한 가시에
아야! 비명이 나와 나도 모르게
손가락 끝을 감싸쥐었다 벌컥 화를 내면서
아파요 많이?
물었어 고슴도치가
왕하고 물었어 고슴도치가
아야! 비명이 나와 나는 또 다시
화를 내려다보았어 고슴도치가 지은 표정을
미안해 찔린 것이 아파서
화들짝 놀라 뿌리친 내 잘못이야 고슴도치를
이해하지 못하고 몰라준 고슴도치도 나도
많이 아팠지 네 기분 하나 생각하지 못하고
너를 내친 내 표정을 보고 나도 고슴도치도
많이 아팠지 그깟 손가락이 뭐라고
도치, 고슴.

양파에게 바치는 시

까도녀
까칠하고 도도한 여자인 줄 알았는데
까도까도 귀엽기만 한 사람이더라

난 햄버거를 먹을 때 좀 까다로워
피클도 빼고 토마토도 빼야 해
샌드위치를 먹을 때도 마찬가지
하지만 양파는 그대로 있어
아삭하고 상큼하고
알싸하고 매콤하고
얼핏 느끼할 때 들이쳐 맛을 새롭게 해주거든
쉽게 질리지 않도록 해주거든
어디에 껴도 잘 어울리거든
무얼 먹든 같이 먹을 수 있거든

양파 같은 사람

툭툭 던지는 한마디가 매운 사람

그래도 언제나 내 옆에 있는 사람

같이 있으면 속이 화해지는 사람

그런데 왜일까

알면 알수록 눈물이 많아져

까도까도 속이 보이지 않아

모르는 사람들은 너를 무서워해

한 꺼풀 벗긴다는 건 벗어던지는 게 아니야

떨어진 꺼풀 하나하나가 모두 너인 거야

다가서는 길은 맵고, 따갑고, 눈물겹지만

결국 따뜻해지면 달콤함만 남을 거야

Dear. 양파

날 것 그대로가 궁금해서

멋대로 들여다봤다가

눈물만 흘리고 나왔다

정작 너는 조금도 울지 않았는데

몇 번을 까도

여전히 희어서

괜찮은가보다 했지

너는 점점 작아져가고

단단한 줄로만 알고

한참을 불에 데쳤더니

훅 물러지는 몸

그래봤자 양파였는데

탁 터놓고 말해보려

반 갈라 봤다

여전히 너는 희고

난 눈물만 줄줄

그래도

몇 겹인지 알았다

하나씩 너를 안다

하얀 인간

파랗게 태어나 빨갛게 가는 생명체
그들 하나하나를 구분할 수 없는
아둔한 눈은
모두를 토마토라 불렀다

울퉁불퉁함을 이름으로 삼고
벌게진 뺨만 기억하는 눈
파란 껍질도 토마토고
붉은 껍질도 토마토인데
끝이 근본을 결정한다면
인간은 희끗한 색으로 하자

모두가 심지를 끝까지 태우고

하얗게 지는 생명체였으면

중간에 성큼 잘리지 않고

끝까지 하얗게 불사지르는 인간

운수 나쁜 날

멀쩡한 길바닥에
돌멩이가 튀어나와
길 가던 인간 발을 찔렀다
흐물흐물 돌멩이 위로 쓰러지는 인간

인간 비명소리에
곳곳에서 돌멩이가 튀어나와
비계 덩어리를 들어올렸다
기어 나오는 시뻘건 돌멩이

늘어진 인간은 숲으로 버려졌다
저렇게 뛰어드는 인간은 못 피한다고
누군가 말했다

얼굴이 붉어진 돌멩이는

입에 들어간 피를 뱉으며

재수도 없지 투덜댔다

얼음

찬물을 먹었는데
위가 화끈거렸다
속부터 천천히 흘러내리고 있었다
다들 아무렇지 않았다

역대급 무더위래
누군가 말했다
찬물을 꿀떡 삼키면서
찬물을 온몸에 뒤집어쓰면서

속이 뜨거워서 참을 수가 없었다
벌컥벌컥 찬물을 삼켰다
마실수록 속이 쓰렸다
땀에 절여진 다리는 미동조차 없었다

젖은 얼굴 위로

누군가 찬물을 부었다

온몸이 불타는 것 같았다

시끄러운 수화

현란하면서 간결한 손짓 안에는
무수한 단어가 떠돌고 있다
마디를 접었다 폈다가
바닥을 퉁퉁 치다가
턱을 쓸어내리다가

진동하지만 발화되지 않는
당신의 대화를 보고 있으니
시끄러워졌다

나는 손짓으로 말했다
'조용히, 말해주세요.'

당신은 어처구니없다는 표정으로

나를 보았다

그리고 대답했다

'죄송합니다, 조용히, 말할 게요'

죽은 꽃

동백에게 전할 말이 있어요 혹은
묻고 싶은 얘기겠죠

그리 어려운 고백은 아니에요 비단
내 앞에 토해내고 싶지만 삼키려 해도
억지스런 감정을 내뱉으려 하니 속이 쓰릴 뿐예요

죽어버린멍자국을쓰다듬으면
차츰비릿해져요끝이없는숨을들이쉬니
다시오도독혀가씹혀요번져가는그림자를삼켜보니
이따금아득해져요동공에가라앉은우리를끌어올리니
끝내허우적대요불거지는살가죽을바라보니
이내 기억이
젖네요

그럴 바엔 동백을 심겠어요, 하고
울부짖을 아이를 흙으로 덮어주고는
삼켜주세요 흠뻑 젖은 그대가 만져준다면
갈라지기만을 기다릴게요

어제의 당신은 기억했어요
저들이 살아냈던 내일은 피어나지 않음을

그러니
당신을 묻겠어요.

하이얀 무대

이곳 무대의 낮에 태어나
휘어진 유리 속으로 우러러 보는 그들을 향해 웃었
나

손바닥을 내밀어 젖은 시간을 덮고서
뒤통수를 휘잡아 매는 불빛들과 악수하고
활자 한 끝에 찔려 나는 붉어지리라

피울음 위에서 저들을 노래하다
되어버린 그늘이 하이얗게 번지며 춤추고
모두가 아는 거짓이 되면
어득허니 달을 가린 채 죽어버린 줄 알았나

굽은 타원의 유리를 가르노라

마실 수 없는 노래를 삼키자

그믐달 아래 눈뜬장님 그림자 뒤에 서서
저곳 밤의 무대에 매달아
구름과 나를 묶었다가 풀었다

웃었다가 울었나

일식

조그만 양초와 위에 놓인 단어들
타들어가는 얇은 꿈속에 놓여
입으로 내뱉는 한 숨의 바람에 사그라들테지만
아마 그런 말을 바래왔다 나는

포획한 단어들은 일순간 빛을 발하지만
손은 까맣게 타들어가버리고
남아있던 따뜻함만 스스로를 분신하다
꺼내지 못한 말들이 차마 연기처럼 식어
허공에 모난 반원을 그려낸다

재가 된 마음들이 바다에 떠돌다
파도에 적셨던 마음은 나아가다 가라앉으며 거품을
내뿜고

행성을 채우는 열기는 밀물에 밀려 되돌아오다

해안가 저편에 누워 햇볕을 기다리는 축축함에

순간 하늘을 빙그레 도는 저 달은 꼭

언젠가 한 번 태양을 가려주었으면 하는 소망에

하늘을 잠그면 내리는 작은 회피와 안식

감은 눈으로 다시 삼키는 나날들

196X년 12월 25일, 골판지
그리고 연탄재

아무런 연고 없이 긴 삶을 견뎌내기란 참으로 힘든 일이었소.

하늘의 간청일랑 드릴까 싶어 꽤나 고개를 숙여오기도 했소.

그간 자식의 구부정한 모습이 아바이께 너무 비굴하게 비쳐보였겠구려.

미안하오.

한울님 아바이. 그렇소.

내 탓이오.

허나 한때 한울님을 탓했소.

소작일 하던 할아배,

해방 후 마름이 문서 태우고 망명해 땅 뺏기고

십원 한 장 남지 않게 된 운명에도 술 들이키며 고
개를 숙였소.

빚 감당키로 연필 대신 일찍이부터 망치를 들었으
나

얼마지않아 망치조차 내려두고 총칼을 든 아바지도,

피붙이 두고 떠날 때 고개를 숙였소.

내는 삐걱이는 고개를

섣달 지나서야 겨우 숙였소.

하지만 숙인 고개로는 절대로

한울님 계신 하늘을 바라볼 수 없었소.

내가 못난 탓이오. 죄를 지었소.

이쯤 내버려 두오.

벌을 달게 받았으니 이쯤 내버려 두오.

허나 단 한번이라도 한울님께 사랑을 받고 싶소.

전쟁통에 쇳쪼가리 맞아 조각난 아바지

머리칼이라도 보고싶소.

내 원망하나 한때 젖 물려준 집나간 어마니 얼굴이

보고싶소.

아우가 가장 보고싶소.

그 어린 것 먹여살리려 야학을 다니며 일평생

공장서 시다바리 노릇하다지만,

지루하고 고된 삶을 질기게 두드려주던 아우가

보고싶소.

셋방 윗목에 엉덩이 들여앉아 행님하며 아양 떨던
가련한 것이 보고싶소.

화냥년의 아들이라고 마을에서 먹 들이키던
순간마저도

추한 내 모습 가려주려 소리치던 그 발칙한 것이
보고싶소.

보고싶소. 보고싶소...

허나 간단한 고뿔에 걸려 쉽사리 꺼져버린 아우만
보았소.

한울님의 가르침을 내가 못 받아들였소.

이 또한 내 탓이오. 내 탓이오...

내 그토록 찾아 헤매던 인연도 없이

홀로 생이란 촛농만 도랑창에 녹아들어가오.

나는 배가 고파 어쩔 수 없이 전부 핥아먹었으나,

그마저도 혀가 말라 갈라져버렸소.

하찮은 감정에 눈이 멀어, 이제는 보지 못할 것들만

세상에 가득하오.

눈과 귀가 막혀버렸으니 잠자코 긴 꿈을 꿀

시기입니다그려.

선택적 함구증

덧널의 움.
가느다란 긴 관 갉아올라
썩히는 체강, 혀, 나침반.
마침 알아도 역시 설명만 요구해대니.

아하, 역시 거짓이 해맑다.

도화(桃花)

복숭아 꽃, 오월 즈음에
한 몸 불살라 스스로 끝내다.

너의 꽃말에 가책 받은 그는
네 위로 발을 둥둥 구르더니만.

조각이 되어 오히려 향기가 물씬 오른다.
이번엔 땅 대신 코끝에 뿌리를 내리니,

'이것이 나를 놀리는구나.' 어긋난 마음.
하지만 방도가 없으니 그저 채취를 닦을 수밖에.

한번만 눈을 감고, 너의 뜻에 사역하기로 했으니.
상식에 고여 버린 그의 도서관은 문을 잠시 닫아둔
다.

그저 평화로이 색도 향도 없는 일상보다는

너의 색과 향으로 가득한 축제가 좋을 것 같아서.

벌레

며칠 전 엘리베이터 벽에
납작하게 붙어있는
그것을 보았다.

그것은 내 중지 두 개를
합쳐놓은 듯한 큰 날개를 가졌고
검은 비단 같은 까마귀 날개에
강렬한 핏방울을 뿌린 듯한
점들이 있었다.

왠지 모를 경멸감을 느낀 나는
반대쪽 벽에 붙어서
행여나 내 쪽으로 날아오지는 않을까
생각했었다.

어제 엘리베이터 바닥에

납작하게 붙어있는

그것을 또 보았다.

여전히 나는 그것이 싫어

일부러 엘리베이터 바닥이 흔들리도록

세게 바닥을 쳐보았으나

묵묵부답이었다.

오늘 엘리베이터 바닥에

납작하게 붙어있는

그것을 다시 보았다.

아직도 나는 그것이 싫어

끝끝내 나는 그것에게

음료수를 조금 흘렸다.

화려한 경계색처럼
아주 격렬하게 날아오를 것이라 생각했으나
그 불쌍한 것은 더듬이만 떨 뿐이었다

자신을 공격하지 말라는
그 강렬한 경계색의 날개는
오늘따라 색이 바랜 것처럼
힘이 없어 보이고
그 날개 뒤에 숨은 여린 것은
오늘따라 한 없이 작아보였다

아아 한낱 작은 벌레조차

자신을 공격해도 반격조차 안 하는데

나는 아무런 공격도 하지 않는 이 벌레에게 무슨
짓을 한 걸까.

금 성

글을 짓는 날

'짓다'의 사전적 정의는 다음과 같다.

1. 재료를 들여 밥, 옷, 집 따위를 만들다.

2. 여러 가지 재료를 섞어 약을 만들다.

3. 시, 소설, 편지, 노래 가사 따위와 같은 글을 쓰다.

우선 한 가지 고백하자면 글을 쓰는 일은 일상에서 효율이 떨어지는 행위 중 하나라고 여겼다. 머릿속에 굴러다니는 추상을 종이나 전자기기 따위에 글자로 옮겨 적는 일이 꽤 수고스럽지 않냐고 생각했다. 그러지 않아도 우리는 충분히 바쁜 삶을 살아가고 있다. 해야 할 과업을 목록으로 만들면 끝이 없고, 그나마 휴식을 핑계로 봐야 할 영화나 드라마, 소설책 등이 말 그대로 '널려있는' 시대이지 않은가. 설령 억지로 적어본 글은 학창시절 생활기록부에 올릴 만한 도서를 대충 읽고서 썼던 독후감 또는 연말 선물로 받은 일기장에 끄적이는 하루 끝 푸념 수준에 지나지 않았다. 그 밖에 혼잣말이 되어버릴 글을 적을 바에야, 유명한 작가가 써놓은 좋다는 글을 읽으며 그에 맞는 감성적인 생각이나 가끔 하며 지내는 편이, 나에겐 시간을 효율적으로 쓰는 방법이라고 생각했다. 그렇게 길을 걷는데 문득 종이 한 장을 보았다. 거기에 쓰여 있던 문장은 나에게 말을 건네는 듯 했다.

'글을 잊은 당신에게'

#. 글 잊기

우리는 생각하는 존재로서 태어났다. 인간의 뇌에는 부정의 개념이 없다고 한다. 고로 생각하지 않음을 생각할 수는 없는 노릇이다. 잠글 수 없는 수도꼭지에서 생각은 흐르기를 멈추지 않는다. 끝없이 흐르는 생각을 흘려보내기도 하지만 한번은 손에 담아, 그릇에 담아 어딘가로 옮기기도 한다. 그러면 생각은 특정한 틀에 담겨 독특한 형태를 갖춘다. 그 틀은 글이 될 수도, 노래 또는 몸짓이 될 수도 있다. 그 중에서 현생이 바쁘다거나 여러 상황에 의해 가끔은 글을 잊을 때가 생긴다. 이것은 단순히 까먹은 것이지 '잊었다'라고 말하기 애매할 수 있다. 나에게 있어 언제 글을 잊게 되는가 묻는다면 '자기표현의 의지를 잃을 때'라고 답하겠다. 개인의 내면을 글로 적는 행위는 대표적인 자기표현 방식이다. 마음을 빚고 진실을 담는 과정에서 글과 나 사이에 직접적인 유대가 이뤄진다. 하지만 그 유대는 때로 거추장스럽게 느껴지기도 한다.

나를 표현하기 위해 쓰는 글이 역으로 나를 옥죄어오는 순간이 있다. 마음 속 그릇을 채우고 싶은 때가 있는 반면, 채워야 할 것 같은 순간도 존재한다. 나도 모르게 의무적 행동이 되었다고 느껴질 때가 그러하다. 그런 의문이 들면서 잠시 글을 잊게 된다. 그러다가도 무언가로부터 나를 표현하고 싶어지는 욕구가 다시 생기면 글을 쓰고 싶다는 생각하기 시작한다. 속된 말로 '쿨타임이 차는' 순간이다. 마음속에서 나도 모르는 간질간질함이 올라오기도 하고, 명확하게 설명할 수 없는 벅차오름이 흘러넘치기도 한다. 이러한 과잉 감정을 정리하고 싶을 때 잊었던 글을 다시 짓기 시작한다.

#. 마음 빚기

마음과 생각은 다르기에, 부스스 생겨난 마음을 생각으로 빚어내는 과정이 우선 필요하다. 그리고 생각을 익혀서 글을 짓는다. 이런 '글짓기'에 쓸데없는 부담감을 가지고 있었는지도 모른다. 하지만 글은 내게 그만큼 소중한 영역인 탓에 함부로 대할 수가 없다. 생각을 적고 하고 싶은 말을 쓰기 위해서는 개인의 속마음을 끄집어내야 하는 과정이 필요했고, 안으로만 고여 있던 나의 일부를 밖으로 꺼내보는 일이 크게 달갑지는 않았다. 그 일부가 다른 사람에게 어떻게 보일지 혹은 보여야 할지에 마땅히 신경 쓰였으며 내가 쓴 글은 곧 나를 나타낸다고 생각했다. 화가가 미술 작품을 통해 그 내면과 심리를 말하는 것처럼, 배우가 메소드 연기를 펼치며 때로 역할에 고통 받는 것처럼. 다소 요란한 마음가짐은 글을 짓기 전 신발 끈을 단단히 묶는 의식과 같았다. 조심스럽게 빚어낸 하나의 문장들로 나를 켜켜이 쌓아갔다.

#. 진실만두

문장을 빚어가며 그 속에 진실성을 넣는 일은 생각보다 어렵다. 오히려 새로운 이야기를 만들어내는 것이 더 쉽게 느껴질 때도 있다. 가슴 속에서 우러나오는 진실을, 글이라는 그릇에 옮겨 담는 과정이 녹록치 않은 까닭은 그 진실을 이렇게 봐줬으면, 하는 기대감에 있다. 글쓴이는 그 마음이 읽는 이에게 오롯이 전

달되었으면 한다. 자신만의 생각을 누군가 읽어주기를 바라고, 또 공감하며 교류하기를 원한다. 하지만 글에 진실을 담는다는 건 그릇에 공기를 담는다는 말과 같다. 진실은 정지하지 않는다. 사람이 갖는 감정은 늘 변화하고 같은 상황에서도 때에 따라 다른 마음이 든다. 한 때 옳다고 생각했던 것이 한순간 틀리기도 한다. 그렇다면 시시각각 변하는 마음 중 어떤 것을 진실하다고 믿어야 할까. 다만 덜컥 감정을 좇아 글자의 형태로 옮기다보면 그 순간의 진실 몇 조각이 섞여 들어간다. 그때는 맞고 지금은 틀리다.

#. 허물 한 겹

비슷한 맥락에서 텍스트와 작가는 분리되어야 한다는 말이 있다. 어떠한 글을 썼다고 해서 작가의 정신과 신념을 완벽하게 글로 대변할 수는 없다. 손끝에서 새어나가는 무수한 텍스트는 탈고됨으로써 '나'와 분리된 허물이 된다. 글 쓰는 행위를 통해 '나'는 허물

한 겹을 벗는다. 방금까지 내 피부를 감싸고 있던 유기물 중 하나였지만 더 이상 나와 함께 존재할 수 없게 된다. 나였지만 나는 아니다. 그리고 타인에게 '읽힘'과 동시에 이전과는 전혀 다른 산물이 된다. 누군가에게 읽힌 텍스트는 내가 처음 써낸 텍스트와 같을 수 없다.

#. 글짓기

글쓰기는 직설적이면서 창조적인 자기표현 방식이다. 텍스트로서의 텍스트는 오롯이 나를 직접 관통할 수 있는 매개체로 작용한다. 부스스 빚어낸 마음에 진실 한 조각을 담아 나의 목소리를 또렷하게 담아낼 수 있는 순간 우리는 동시에 탈피한다. 내 몸 가장 깊숙이 나온 추상을 신체의 최말단을 통해 구상함으로써 스스로를 만들어가고 있다. 글짓기를 통해 온전하지 않았던 나로부터 스스로를 구체화하는 과정이 담겨지는 것이다. 그렇게 나는 나로부터 자유로워진다.

단팥맛밤빵

Intro.

좋아하는 음식 있어? 어?… 내가 어떤 음식을 좋아
했더라.

좋아하는 음식. 좋아하는 음식. 좋아하는 음식이 뭘
까. 자꾸 생각이 나서 찾아보니 일주일에 한 번씩 안
먹고서는 못 배기는 그런 음식? 영화 '라따뚜이'의 그
것처럼 한 숟가락 뜨자마자 어릴 적 추억이 좌라락
펼쳐지는 그런 음식? 또는 아주아주 값비싼 식재료가
들어가 눈으로 흘깃거릴 수밖에 없는 그런 음식?

아니야. 지금 내가 맛보고 싶은 건 단팥맛밤빵이야.

단팥맛밤빵은 재밌지. 밤인 줄 알고 깨문 순간 단팥이 불쑥하고 튀어나오는 그런 음식이니까. 첫 한 입에는 생각과 달라서 담긴 당황스러움이, 두 번째 입에는 다잡은 마음에 생각을 뒤흔드는 밤맛이, 세 번째 입에는 정신을 차리고 집중해 베어 문 이빨자국이 남아있어. 그렇게 먹다 어느새 비어있는 손이 아쉬워 허공에 대고 입맛을 다시지. 맛있는 단팥맛밤빵. 내가 좋아하는 단팥맛밤빵.

단팥맛밤빵을 좋아하지만 밤맛단팥빵은 나는 싫어. 이유를 생각하는 것도 싫증이 나서 그냥 싫다고 말하고 싶어.

근데 내가 좋아하는 건 단팥빵이야, 밤빵이야? 누군가 좋아하는 음식을 물어보면 어떻게 말을 해야 할까. 밤빵을 좋아한다고 말했다가는 밤맛단팥빵을 파는 곳으로 데려가버리지는 않을까. 사실 그거 밤빵이 아니라고, 단팥빵이라고 이야기했다가는 큰일이 나지는 않을까. 아니 어쩌면 내가 알고 있는 단팥빵이 사실 밤빵이 아니었을까. 단팥빵을 좋아한다고 말했다가는 왜 밤빵같은 걸 먹냐며 내 입에 밤빵을 집어넣으려하지는 않을까. 한껏 만족과 기대에 부풀은 표정으로 말이야. 사람들이 듣고 싶어하는 건 단팥맛밤빵이 아닌 걸.

내가 좋아하는 빵은 단팥맛밤빵이 아니야. 빵. 작고 소중한 빵. 나는 단팥빵이 좋아. 그래서 나는 밤빵을 좋아한다고 말할래. 그렇게 단팥빵을 먹어도 밤빵을 좋아하고, 밤빵을 먹어도 단팥빵을 좋아할 거야. 가끔 먹다가 체해도, 목이 막혀 와도 어때. 나는 단팥맛밤빵이 좋으니까.

악이 꽃이라는 착각

'악의 꽃'이라는 제목에 대학 음악 동아리가 떠올랐다. 처음 이 글귀를 접했던 건 동아리 홍보 부스였는데, 정말 밴드랑 어울리지 않는 동아리 이름 같았다. 있는 힘을 다해 소리를 내지를 때 '악을 쓴다'라고 하지 않나. 음악의 꽃이라는 의미도 있었겠지만 목에 힘을 주어서 노래를 부르지 말아야 한다는 걸 알고 있는 입장에선 그다지 눈길이 가는 동아리 이름이 아니었다. 악의를 가진 꽃인가?라는 생각도 잠시 해봤던 것 같은데, 시집 제목을 보고 나서야 문구의 의미를 제대로 읽었다.

악이 존재하지 않는다고 믿고 싶었다. 옳고 그름을 정해두어 사람들을 편 가르기 하는 게 싫었고, 자신의 말이 정답이라 주장하는 사람들을 만나는 한편 그들의 논리가 통하지 않는 세상으로 도망치며 악은 점점 허상에 가까워졌다. 하지만 이런 바람과는 달리, 악은 일상의 작은 행동에서부터 자연히 발생한다. 어떤 일을 하기 위해서는 무엇이 옳고 그른지에 대한 판단이 필요하고, 우리는 사고과정을 통해 경험과 감각에 기반한 세계를 구조화하고 재구성한다. 개념과 논리구조로 이루어진 작은 세계가 세워지는 것인데, 실상 이렇게 자신의 세계를 구축하는 과정은 타인을 평가하고, 자신의 사상을 도구로 언제나 그들을 해칠 수 있는 독을 키우는 것과 같다. 하지만 그렇다고 모든 것을 모르는 태도로 마음을 열어두는 태도는 알고 싶지 않은 사실로부터 스스로를 지켜내지 못하는 것이기에 우리는 옳고 그름이란 판단으로 무장해 저마다의 악의로 세계를 쌓아 올린다.

샤를 보들레르

나 같은 사람 마음을 만족시킬 수 있는 것은
천박한 시대가 낳은 썩어빠진 산물인
가두리 장식된 미인도도 아니고,
긴 구두 신은 발도, 캐스터네츠 낀 손가락도
아니다.
병원의 수다 떠는 그 미인들의 무리는
위황병 걸린 시인 가바르니에게나 맡기련다,
그 창백한 장미들 속에선
내 붉은 이상을 닮은 꽃을 찾아낼 수 없을 터이니.
심연처럼 깊은 이 마음에 필요한 것은
바로 그대, 맥베스 부인이여, 죄악에 강한 꿋꿋한
넋,
폭풍우 속에서 꽃핀 에쉴르의 꿈이어라,
아니면 너 거대한 「밤」, 미켈란젤로의 딸,
「거인」들의 입에 길들여진 젖가슴을
야릇한 자세로 한가로이 비트는 너.

보들레르는 시를 통해 '선'으로부터 '아름다움'을 분리해 내는 한편, '악'에서도 마찬가지로 '아름다움'을 분리하려 했으며, 『악의 꽃』에서 이런 의도는 이상과 현실이 대립하는 시상으로 나타난다. 그리고 그가 서문에 언급한 내용인 '문학과 관련된 고전적 개념들'은 '선과 악', '미와 추', '하늘과 지옥', '여기와 저기' 같은 대립관계의 단어로 승화되어 '이상적이지 않은 일회성의 아름다움'은 보들레르 시학을 대표하는 개념이 된다. 하지만 보들레르는 이런 아름다움의 양면성이 가져올 사회적 파장을 고려하진 못 했던 것 같다.

출판된 해인 1857년 『악의 꽃』은 '공중도덕과 종교 정신 위반죄'로 기소된다. 낭만과 서정을 추구하던 당시 시대에 우울, 권태, 욕정, 탐닉이 가진 미적 가치는 좋은 반응을 이끌어내기 어려웠으며, 그는 법원으로부터 300프랑의 벌금과 『악의 꽃』에 수록된 시 6편의 삭제를 언도받는다. 이번엔 시점을 현재로 바꿔보자. 대립과 갈등으로 표현되는 보들레르의 시학은 '

현실과 이데아'의 대립이라는 플라톤의 이원론과 연관 지어 생각할 수 있다. 그의 마음이 향하는 곳은 '천박한 시대' 같은 현실에 존재하지 않으며, '폭풍우 속에서 꽃핀 에쉴르의 꿈' 속에 있다. 한편 '심연'과 같은 현실의 감각과 감성을 이데아의 그림자로 여기고 배제하는 플라톤 철학과 다르게 보들레르가 중요하게 여긴 '밤'과 같은 그림자는 『악의 꽃』에 어떤 의미를 부여했으며 그가 유한하며 가벼운 존재들에게서 찾은 아름다움을 사람들은 '현대성'이라 부르기 시작한다. 그렇게 1857년과 현대의 이런 상반되는 시각에 비추어보았을 때에 이어지는 해석 ― 『악의 꽃』은 당시에 사회의 풍속을 해치는 악(아름다움)이면서 현대성의 개념을 최초로 제시한 선(아름다움)이다 ― 은 '서구 현대시의 시조 보들레르'라는 호칭을 만든다. 한편 이러한 흐름은 '동시대의 사람들에게 인정받지 못하지만 탁월한'이라는 상징을 만드는데, 미적 가치가 선과 악 모든 곳에 담겨있어 모든 악의 이면엔 어떤 아름다움이 내재되어 있다는 생각, 그리고 세상에 잘못된 것은 아무것도 없다는 판단으로 이어짐과 동시에 어떤 사람들에게는 인정받지 못하는 그들의 세계가 '시대의 흐름에 따라 변하는 가치'에 근거해 다른 이들보다 뛰어나다는 환상을 심어준다.

　'세상에 정답이 없다'는 사실만큼 생각에 믿음을 주는 것도 없겠다. 기존에 인정받지 못했던 것들에서 가치를 발견하고 소중함을 일깨우는 것과 별개로, '개성 추구'의 가호 아래에 옳고 그름의 가치판단이 양산된다. 탕수육에 소스를 부어먹는지, 찍어 먹는지부터 민트초코를 좋아하는지, F인지 T인지. 선과 악을 만드는 과정은 너무나 쉽고 간편하며 어떤 사람들은 그것을 다수에게서 권력을 얻기 위해 이용하곤 한다. 이제는 '다수에게 추앙받는 개념을 찾아 정의 내린 뒤 남들보다 자극적이고 날카로운 혐오 표현으로 악을 비난하고 공격하는 것'이 사회적 성공을 위한 탁월함의 일부가 된 것 같다. 멀리 주파수에 실려 오는 표현들에 무뎌진 사람들은 이제 서로가 당연하다고 생각하는 것들 속에서 알게 모르게 편을 가르기 시작한다. 현대성이란 개념은 '다수가 절대적으로 지지하는 고전적 개념에서 벗어나 유한하고 일시적인 것에서 아름다움을 발견'하는 것이었는데, 그것이 '악의 미화'와 함께 선과 악의 이분법적 세계관을 재생산하는 현상은 아이러니이다. 따라서 악에서 아름다움을 분리해내는 시도는 악이 꽃이라 믿어버리는 착각으로 이어지는 한편 악의 꽃이라는 개념이 시대착오적 환상에 지나지 않을까란 의문만을 남긴다. 한편, '악의 미화'라는 현상을 악에서 미적 가치를 발견한 사람들의 책임으로 보려는 태도에 의문을 제기할 수 있다. "선악을 구분 짓고 이용하는 사람들이 잘못 행동했다는 것이 더 명백해 보이는 사실인데, 그 사람들이 책임감을 갖고 더 신중히 말을 해야 하지 않을까?"라는 생각처럼 말이다. 하지만 『악의 꽃』의 현대성 개념을 통해 선과 악은 인간에게 내재된 본성이며, 이를 통해 우리는 현대성의 개념과 선악의 동질성을 보여준 사람들과 그런 세계관을 이용한 사람들 모두에게서 선악의 형상을 유추할 수 있다. 따라서 단순히 '선과 악의 경계를 허무는 행위'로 '누군가가 선악을 구분 짓고 이용하는 무책임한 결과'를 만들기보다는 '고정관념의 재생산'을 막는, 선과 악에 대한 다른 접근 방식을 찾아보아야 할 것이다.

1857년으로 돌아가 당시의 사람들과 보들레르의 입장을 점검해 보자. 『악의 꽃』의 출판과 기소 내용 그리고 재판 결과를 다음과 같이 해석해 보면, '차악 선택'이라는 개념을 발견할 수 있다.

1. 보들레르에게 동시대의 시집에는 중요한 미적 개념들이 빠져있는 '악'이었다. 그는 이런 단점을 보완하기 위해 고전적이라고 생각한 개념을 도입해 시집을 썼다.

2. 여론은 그의 시에 공중도덕 정신을 해치는 내용이 담겨있는 '악'으로 보았으며 그를 기소했다.

3. 재판을 거쳐 두 개의 '악' 중 2번 채택되어 1번보다 사회적으로 용납 가능한 '차악'이 되었다.

당시 시대에서는 보들레르의 시 6개를 삭제하는 것이 차악이었으며, 현재는 당시 사람들의 판단을 잘못되었다고 보더라도 『악의 꽃』의 현대성을 인정하고 받아들여주는 차악이 더 의미 있다고 볼 수 있으며, 이렇게 당대와 현대의 『악의 꽃』이 갖는 '악의의 농도'를 시간에 따라 비교해 볼 수 있다.

'갤럭시를 사용하는 이성과는 만나고 싶지 않아요.' 같은 어떤 가벼운 말이 있었다. 누군가는 그 말에 깊이 공감하고, 누군가는 이러한 소재를 바탕으로 자극적인 기사를 쓰는 한편, 누군가는 그 발언의 책임을 유튜브 채널과 연예인에게 전가하기도 한다. 과거에 어떤 중요한 사건이 있었다. 누군가는 그 사건의 원인과 전개 과정 그리고 결과를 파악하려 하고, 누군가는 그것을 사람들의 관심을 끄는 영화로 만들며, 누군가는 특정인에 대한 평가를 통해 내 편과 네 편을 갈라낸다. '이런 사람들처럼 되어서는 안 된다' 같은 위선은 대부분 차악보다 인정받는 선택지가 아니겠다. 중요한 점은 이전과 다르게 시간뿐 아니라 공간과 상황에 따라서도 여러 가지 형태의 차악이 존재한다는 것이며, 고대, 중세, 근대, 현대처럼 특정 시간에만 존재하는 것처럼 보였던 악은 이제 다양한 상황과 맥락 속에서 각자 다른 크기로 나타난다. 따라서 어떤 개념의 시시비비를 따져 '선과 악'이라는 좁은 세상을 만들어내는 것보다, 악이 꽃이라며 믿는 것보다, 악을 구분해 내고 상황에 맞는 차악을 발견해 시도하는 것이 낫지 않을까. 악은 단어 그대로 악이며 아름다운 꽃이 아니라는 사실이 받아들여지는 데까지 이러한 시간이 걸렸을 뿐이며, 다행인 점은 아직 여러 가지 악 중에서 어떤 악을 택할지 고민해 볼 시간이 조금 남아있다는 정도겠다.

목도리가 되는 여정

다리를 흔들며 10분 후 도착할 기차를 기다리다 깨달았다. 앞으로 맞이할 3일 동안은 목도리가 없다는 사실을. 훨씬 따뜻한 지방에서도 목도리를 달고 살았으면서 어떻게 추운 위쪽 지역에 가는 날 목도리를 까먹을 수 있나. 자는 사람을 깨우지 않으려 불 꺼둔 방 안에서 미리 챙겨 둔 가방을 확인도 없이 덥석 집어 들었으며, 이 추위에 당연히 목도리는 목에 두를 것이라 안일하게 생각했던 과거의 실책이었다. 역에서 집까지 차로 1시간인데 지금 와서는 다 늦었지 뭐. 겉옷으로 목을 더 단단히 여미고 슬픈 눈으로 멍을 때렸다. 여행의 묘미는 계획대로 되지 않는 것에 있다던데 그럼 난 시작부터 대성공을 이룬 것인가.

기차 자리는 순방향에 창가였고 바로 옆 벽에 콘센트가 있었다. 좌석을 예약할 때 어디쯤 콘센트가 있을까 생각하며 찍었는데 딱 들어맞았다. 확인한 휴대폰 배터리는 100%. 넘치게 부어주는 행운도 행운이려나. 인형 뽑기로 커다란 곰 한 마리를 뽑아들고 길거리에 서 있는 것 같다. 좋긴 좋은데 애매하다. 어두컴컴해진 창밖, 터널이다. 컴컴한 밖과 훤한 안을 연결하는 창에 비친 여자가 보였다. 힘 풀린 입 꼬리, 초점 없는 눈동자, 사방으로 뻗친 곱슬머리가 시꺼먼 유리에 말라붙어 있다. 눈으로는 잔머리를 훑고 손으로는 창문에 낀 서리를 만지면서 머리로는 집에서 삼 일간 외로울 목도리를 생각했다. 목도리 없이 험난한 바깥 세상을 버틸 목덜미도. 어느 순간부터 나의 모든 생각은 목도리로 귀결되었다. 목도리 자신보다도 목도리 생각을 많이 한다면 어느 쪽이 목도리에 더 가까운 것일까?

　기모라고 골라 입은 검은 바지 안에서 허벅지가 떨

렸다. 천창에서 훈훈한 공기가 떨어졌다. 눈은 습기를 잃어 가는데 몸의 말단부는 훈기의 수혜를 받지 못한 다. 피부가 흡수했던 물기는 공기에게 몽땅 빼앗기고 몸의 뿌리에서부터 열을 잃어가고 있다. 태초부터 손 과 발은 그런 습성이었다. 민감하게 저온을 알아차리 고 심장에서 멀리 떨어져 있음을 시위라도 하듯 누구 보다 빠르게 식어갔다. 대비할 틈조차 없이 손목과 발 목 아래 부위는 겨울을 닮아갔다.

기차가 멈추면 스타킹을 신자. 털 부츠가 없었다면 진작 발가락 감각을 잃었겠지. 좋은 선택이었다. 머리 카락을 타고 내려온 바람이 몸의 외각층을 건드렸다. 퉁퉁한 쥐색 오리털 패딩, 그 속에 하얀 털 가디건과 기장이 짧은 검정색 긴팔 니트 티. 부족할까 속에 끼 워 넣은 자주색 반팔 니트까지. 상상 속의 나를 한 꺼풀씩 벗기며 한층 한층 점검할수록 몸에 열이 올랐 다. 모든 것은 인지의 영역을 거쳐야 내부로 들어온 다. 그런 구조를 가졌다 인간은.

기모스타킹은 다리와 발, 하반신 전체를 감싸는 형태였으므로 만약 바지 안에 스타킹을 신는다면 신고 있던 양말은 그 위에 신거나 벗어야겠다. 기모스타킹을 털 부츠가 감싸는 상상을 하며 손을 비볐다. 체온의 시작점은 목과 발이다. 그 두 곳이 차가우면 전신이 얼어붙는다. 칼바람을 맞으면서도 목을 훤히 내놓고 다니던 사람들을 생각하며 속으로 경고를 날렸다.

잠이 왔지만 본래의 계획을 지키기 위해 선반을 폈다. 종착역에서 만날 친구를 위해 편지를 쓸 거다. 오랜만에 열어보는 서문에 펜을 잡은 손가락 감각이 낯설게 다가왔다. 원래 글은 고민하면 더 써지지 않지. 억지로 한 글자씩 적었다. 이어폰에서 모르는 가수의 발라드가 나왔다. 부드러운 미성, 익숙하지 않은 가사의 흐름은 두 마디정도 이어지다 끊겼다. 빠르게 움직인 손가락이 침입자를 몰아내고 매일 듣던 노래를 재생했다. 언젠가부터 낯선 가수의 발라드는 오래 듣지 못한다. 긴 서사를 쌓아야 하는 소설의 도입부를 견디지 못하는 것처럼. 시간과 이해를 요하는 모든 일들로부터 밀려나고 있다. 빠르고 익숙한 것으로만 향했다. 백지에 글을 쓰는 일도, 친구에게 편지를 쓰는 것도, 하물며 형식적인 메일을 작성하는 것마저 멀어졌다. 매개를 필요로 하는 모든 일들로부터 멀어지고 있는 것 같다. 종이와 글자 사이를 잇는 연필처럼 사람과 사람 간에도 매개체가 있다. 나는 그것을 가끔 되찾고 자주 잃어버린다. 사람이 아닌 매개체가 이어주던 거리를 분실한다. 사람은 늘 그 자리에 있는데 나는 중력을 잃은 것처럼 밀려난다. 사이가 사라진다. 분명 나도 있고 그 사람도 있는데 우리는 없다.

달리는 고철에 몸을 실은 것도 밀려나는 과정일지도 모르겠다. 집에 남은 목도리가 본체라면 나는 나로부터 밀려나고 있는 셈이다. 내게 이해를 바라는 모든 것들로부터 멀어진다. 시간을 들여야만 하는 모든 것들로부터. 나는 오로지 가볍고 익숙한 것들로 무장한 채 위로, 더 위로 향한다. 마음이 붕붕 떠서 여기까지 왔는데 본질은 떠나온 곳에 있다. 지금 편지를 쓰는 것처럼, 계속해서 목도리를 생각하는 것처럼 시간을 들여 거리를 좁혀야만 한다. 한 글자, 한 글자 눌러쓰는 시간. 종이가 글자를 만나는 시간. 시간만이 그 공백을 다시 채울 수 있다. 나를 다시 이 땅에 붙여둔다. 버티고 눌러 담아야만 닿을 수 있다.

이 여정 끝엔 완벽한 목도리가 있다. 그것을 위해 먼저 목도리를 잃어버렸다. 빈자리에 꾹꾹 시간을 눌러 담는다. 더 단단하게 이어지기 위해서. 지금의 여정은 목도리를 되찾는 길이다.

단 한 사람

최진영 작가님을 뵙고 왔다. 어쩌다책방이라는 곳에서 일일 책방지기로 근무하신다는 소식을 듣고 연남으로 달려갔다. 퇴근 시간 지하철을 타지 않으려고 일찍 집을 나섰고 오는 길에 〈단 한 사람〉을 급하게 읽었다. 원래 읽을 생각이 없었는데, 작가님 뵈러 가는데 그래도 신간을 읽고 가야 예의가 아닌가 또 할 말도 생기지 않을까 싶어서. 홍대입구역에 도착할 때까지 다 못 읽어서 근처 카페에 들어가 책을 마저 읽었다. 눈물을 흘리던 와중에도 늦게 갔다가는 사람이 많을까봐 걱정되어서 게눈 감추듯 책장을 넘겼다. 책방 인스타에서는 사람이 적을까봐 걱정하던데, 난 오히려 사람이 많을까 걱정이었다. 최진영 작가님 얼마나 인기가 많으신데, 한참 줄 서서 사인 받아야 하는 거 아닌가. 작가님의 근무 시간은 7시부터였다. 7시가 조금 넘긴 시각에 책을 덮었고 눈물을 닦고서 부리나케 길을 나섰다. 책의 여운이 가시지 않은 상태인데다 긴장한 탓에 심장이 두근거렸다. 작가님을 만나서 무슨 얘기를 해야 하나, 말을 할 수는 있을까. 가방에 든 책이 무거운 건지 가벼운 건지 헷갈렸다.

걱정이 무색했다. 좁은 책방 안에 있는 사람은 직원 포함 대여섯명뿐이었다. 책방은 정말 작았고 깔끔했다. 공간이 두 개로 나뉘어 있었다. 최진영 작가님의 작품들을 모아서 큐레이팅 해놓은 전시 공간(이라 해봐야 테이블 하나였다)과 분류 별로 가지런히 꽂혀 있는 책과 계산대가 있는 공간. 단발을 하신 작가님은 아름다우셨다. 사진 상으로는 항상 긴 머리를 하고 계셨는데. 책을 고르는 척 하면서 다른 분들과 대화하시는 걸 몰래 엿들었다. 책 추천을 해달라는 한 독자분에게, 김혜진의 〈축복을 비는 마음〉을 읽고 있다며 그 책을 추천하시는 것 같았다. 책장을 찬찬히 훑어보니 익숙한 책들이 많았다. 책을 들었다 놨다 하면서 한참동안 간을 보다가 그냥 작가님의 신간을 사기로 마음먹었다.

묘한 분위기였다. 팬미팅도 아니고 사인회도 아닌데 모두들 이미 작가님과 안면이 있는 듯했고 화기애애하게 서로 대화를 나누는 와중에 나만 혼자 와서 나만 작가님과 초면인 느낌. 쭈글텅하게 앉아 있다가 사인만 받고 왔다. 선물이라도... 아니 손편지라도 하나 써갈걸. 낮 동안 〈내가 되는 꿈〉을 다시 읽고 〈단 한 사람〉을 급하게 빌려서 읽는다고 뭔가를 준비할 생각조차 못했다. 스몰토크? 하려면 충분히 할 수 있었다. 물리학 얘기를 해도 됐고(작가님께서 김상욱 박사님의 책을 인상 깊게 읽으셨다 해서) 하다못해 〈내가 되는 꿈〉을 제일 좋아한다는 말이라도 할 수 있었다. 얼마 전에 친구가 '삶의 낙이 무엇이냐'는 질문을 해서 그 거라도 여쭈어볼까 싶었다. 그런데 의미 없는 얘기를 해봐야 무슨 소용인가 싶었다(물론 멍청한 생각이라는 거 안다. 작가님을 직접 뵐 수 있는 기회가 이번뿐일 수도 있는데). 그래서 그냥 입을 다물었다. 원래 가지고 있던 책에 사인만 받고 작가님 신간을 사려고 했는데, 그것도 다 떨어졌다 해서 다른 데에서 가지고 올 때까지 기다려야 한다고 했다. 좁은 책방 안을 어색하게 서성이다가 직원 분께서 나중에 택배로 부쳐주신다 해서 결제만 하고 조용히 나왔다.

책을 결제하고 난 뒤에 작가님께서는 서점 명함과 함께 손편지(물론 복사본이다)를 건네주셨다. 편지에는 김상욱 교수의 책 인용과 함께 '모른다'는 것에 대한 이야기가 담겨 있었다.

"… 그러나 세상의 많은 과학자들이 열심히 연구해서 알아낸 우주의 이치를 따라 읽다보면, 잘 알지도 못하면서, 어쩌면 잘 알지 못해서, 아름답다는 생각이 절로 듭니다. 위로를 받습니다. … 뭘 알아서 사는 게 아니라 모르니까 살아갈 수 있는 것 같아요."

모르니까 살아갈 수 있다는 말은 모르니까 쓸 수 있다는 말로 들렸다. (김소연 시인의 말이 생각났다. "모르니까 쓴다. 알고 쓰는 것은 시가 아니므로") 작가님의 신간 〈단 한 사람〉도 마찬가지였다. 죽음에 대해, 죽음의 불공평에 대해. 애도와 삶과 사랑에 대해. 소설의 인물들은 죽음에 대해 끝없이 고민하지만 이야기는 결론을 내려주지 못한다. 정답이 없는 문제의 답을 맞출 수는 없다. 다만 이 이야기는 죽음에 천착하는 인물들의 모습을 통해 삶을 보여준다. 인생은 원래 그런 거야. 죽음이 있기에 삶이 있는 것. 우리는 살면서도 산다는 게 무엇인지 모른다. 무슨 일이 있어도 삶을 완전하게 이해할 수 없다. 불공평한 사회를, 그리고 삶과 죽음을 가르는 신의 뜻을. 왜 방화범은 살아남고 소방관과 아이는 죽는가. 가정폭력범은 살아남고 왜 피해자는 죽어야 하는가. 왜 내가 살고 언니는 죽었어야 했나, 내가 언니 대신에 죽을 수는 없었을까.

죽음은 삶의 끝이자 일부이다. 인물들은 긴 애도의 과정을 거치며 조금씩 나아간다. 죽음의 불가피성을, 불공평함을 받아들인다. 그리고 배를 띄워 보이지 않는 저 멀리로 보낼 수 있게 된다. 여전히 우리는 죽음을 겪는다. 이해할 수 없는 것들을 받아들여야만 한다. 불합리한 세계 속에 살아가는 먼지 같은 존재일 뿐인 우리는 언제 바람에 흩날려 사라질지 모른다. 그럼에도 불구하고 수용한다. 그리고 살아간다. 세상 모두가 그렇듯이.

문학은 죽은 사람을 살릴 수도, 죽지 말아야 할 사람을 죽인 사회를 바꿀 수도 없지만, 산 사람을 살릴 수는 있다. 작가님의 작품이 그렇다. 보잘것없는 나를 마주하고 세상을 더 살아가고 싶게 한다. 그래서 좋다. 책을 읽고 난 후에 머리카락 한 가닥만큼 달라진 내가 눈물겹게 좋아진다. 작가님께 이 감상을 전했더라면 덜 아쉬웠을까? 작가님은 이미 수많은 독자들에게 사랑을 받으시는 중이고 비슷한 감상을 수차례 들으셨을 거다. 내가 보태든 보태지 않든 크게 달라질 건 없다. 그와 동시에, 나는 이 세상에 있는 '단 한 사람'이다. 작가님의 수많은 독자 중 나라는 사람은 오직 한 명뿐이다. 그러니 내가 하는 말이 어떻든, 그게 작가님의 마음에 파문을 일으키든 말든 간에, 내가 말을 전하고 말고에는 큰 차이가 있다. 오늘의 나는 그 용기를 발휘하지 못했지만, 무용함의 늪에서 벗어나기 위해 애쓰다 보면 언젠간 달라져 있으리라.

C에 관하여

C와는 얼마 전 시작한 온라인 독서모임에서 처음 알게 되었다. 그녀는 나와 동갑이다. 우연찮게도 연락이 닿지 않는 한 친구와 이름이 같다. 독서모임은 일주일에 한 번 모여서 책 얘기를 하고, 매일 한 편의 글을 단톡방에 올려야 하는데, 각자의 일상이 바쁜 사회초년생 또는 대학생의 특성상 매일같이 문학성이 뛰어난 (적어도 최소한의 문학성을 갖춘) 글을 올리기란 쉽지 않았으므로 대부분의 사람들이 일기 형태의 짤막한 글을 올리곤 했다. 그녀 역시도 마찬가지였다. 나는 매일 밤 하루를 마무리하는 시간에 올라오는 길고 짧은 소회들 사이에서 그녀의 일상을 엿보았다. 첫 출근, 첫 퇴근, 비효율적인 업무에 대한 한탄, 일에

대한 애정과 미움, 만났던 사람들, 읽었던 책과 시. 그 속엔 날마다 새롭게 차오르는 슬픔이 있었다. 나는 그녀의 메시지 아래에 하트를 달면서 내적 친밀감을 키워갔다(그녀 역시도 그럴 것이라고 믿었다).

화면상의 C는 내가 아는 이름이 같은 친구와는 비슷하면서도 달랐다. 그녀가 사랑이 많은 사람이라는 걸 한 눈에 알 수 있었는데, 말랑한 외관과 꼬막눈이 닮았다는 사실 때문만은 아니었을 것이다. 그녀는 소설에 대해 아는 게 많았다. 김애란 작가를 좋아한다고 했는데 그래서인지 김애란 작가의 작품으로 모임을 할 때마다 작품 속 탁월한 비유를 칭찬하는 말을 빼놓지 않았다.

한 번은 내가 춤과 관련한 글을 올린 적이 있다. 사당에서 공연 연습을 마치고 와서 간단하게 허기를 채우고 집에 돌아와서 뱉어내듯이 쓴 글이었다. 춤을 왜 추는가. 미친 듯이 연습을 하는 이유가 무엇인가. 왜 무대에 서려고 하는가. 피로 끝에 오는 자족감이 섞인 글 말미에 오디션 날짜를 적어놓았다. 그녀는 그 날짜에 맞추어 나에게 연락을 해왔다. 춤 얘기를 볼 때마다 자기도 심장이 뛰고 활력이 생긴다며, 오디션 잘 보라는 말을 전했다. 개인적으로 연락을 한 건 처음이었다.

최근에 모임장님이 황혜경 시인의 시 수업을 들을 기회를 마련해주셨다. 일정이 조정되지 않아 합류를 고민하던 중에 수업은 시작되었고, 나는 한 주 늦게 참여를 부탁드려서 2주차부터 함께 수업을 듣게 되었다. 그래서 지난주부터 신촌에서 수요일 저녁마다 모임장과 C를 오프라인으로 만나고 있다.

시를 읽고 대하는 태도를 보면 그 사람을 알 수 있다. 그녀는 내가 보지 못하는 것을 본다. 시인의 말 속에 숨겨진 상상력을 읽어내고 감탄한다. 이어폰 끼지 말고 그냥 힘차게 걸으라는 시인의 배웅 속에서 사랑을 느낀다. 싫은 일을 해내는 자신의 모습을 싫어하다가 좋아하다가 후회하다가 또 행복해한다. 이해하는 능력이 사랑에서 오는 거라면 그녀는 너무 많은 사랑을 가지고 있어서 너무 많은 것들을 이해한 탓에 벗어날 수 없는 슬픔을 지고 있는 것처럼 보였다.

C는 가끔 말을 고른다. 대화 도중 자신에게 스포트라이트가 비춰졌을 때에 말을 이어나가다 말고 5초에서 10초가량 아무 말 없이 쉬는 시간을 갖는다. 1, 2, 3, 4, 5... 길어지는 침묵에 사람들은 당황하지 않는다. 그녀의 머릿속에서 아주 복잡한 기억의 전처리가 이루어지고 있음을 알기 때문이다. 줌 화면으로 마주한 얼굴들은 정면에서 조금 비껴난 곳을 멀뚱히 바라본다. 나는 아무런 기대도 예상도 하지 않고 그녀의 말을 기다린다. 그녀는 정적을 불편해하지 않는다. 허공을 바라보고 눈을 깜빡이며 생각에 잠긴 그녀의 모습은 기억을 더듬는다기보다 말을 고르는 상태에 가까워 보인다. 나는 그녀가 켜켜이 쌓인 기억의 층을

잘라내어 때와 장소에 적절한 단면을 즉각적으로 보일 수 있을 것이라고 짐작한다. 그녀는 그만큼 똑부러지고 정돈된 사람이기 때문이다. 그저 다짜고짜 단면을 보여주자니 너무 적나라한 광경이기에 단어를 고르는 중일 것이라고.

적막이 끝나고 그녀가 조심스럽게 입을 열면 주로 가족이나 사랑하는 사람과 관련된 이야기가 나온다. 그 이야기를 듣는 나는 아주 오래된 태엽 장난감을 감는 기분이 든다. 삐그덕삐그덕 끼익끼익 소리를 내며 혹여나 태엽이 끊어질까 조심스럽게 감는 그녀의 모습. 그 옆에서 내 몫의 태엽 장난감을 천천히 감으면서 그녀가 감당하는 사랑을 조금은 나눠 가질 수 있을까 생각했다.

양파에게

안녕,

우리 알게 된지도 20년이 넘었는데 이렇게 편지를 쓰는 건 처음인 것 같아. 새삼스럽네. 함께한 시간동안 네가 나에게 해준 것들에 비하면 내가 표현을 많이 못한 것 같아서 이렇게 적어본다.

우리 함께한 세월이 참 오래되었네. 사람들은 너를 대할 때마다 너의 따끔한 향에 상처를 입고 눈물을 흘리곤 했지만 신기하게 난 한 번도 그런 적이 없었어. 내가 아주 어릴 적부터 너와 친하게 지냈기 때문이었을까? 어릴 적 호기심에 겹겹이 쌓인 너의 피부를 벗겨내고 그 안에 있는 작은 심지를 마주할 때면,

뭐가 그렇게 겁이 나서 이렇게 많은 피부를 가지게 되었을까, 하고 너를 불쌍히 여기던 때도 있었지.

먼저 고맙다는 인사를 해야겠어. 오늘도 넌 내 저녁 식사의 일부를 만들어주었거든. 순두부찌개에 들어가는 다진 양파 1/4개로써 육수의 단맛과 감칠맛에 일조해주었지. 물론 다시다와 연두에 비하면 너의 역할은 그렇게 크지 않지만, 국물 어딘가에서 너의 존재감을 느낄 수 있을 거라고 믿고 있어. 오늘 네가 이룩한 성과가 너무 작다고 실망하지는 마. 너는 찌개보다 조림이나 볶음에 더 잘 어울려. 어제 점심에는 돼지불고기 사이에서 네가 큰 역할을 해주었잖니. 채 썰린 너의 단면 사이에서 배어나오는 물은 익어가는 고기 사이에서 달큰한 국물을 만들었고, 너의 기다란 몸통들이 돼지고기의 기름과 양념의 소금기를 중화하는 중대한 임무를 맡아준 덕에 어제 점심과 저녁을 훌륭하게 마무리했단다. 넌 어디에든 잘 어울려.

내가 너의 소중함을 알아차리지 못했을 적에는 이런 일도 있었지. 주황색 망에 들은 너의 자식새끼 여섯 명을 데려와서, 몸집이 작았던 한 명은 목살 한 근과 함께, 다른 한 명은 버섯과 함께 볶아서 반찬을 만들었던 적이 있었어. 하지만 잦은 외식과 약속으로 인해 정성들여 만들어놓은 반찬을 일주일이 지나도록 다 먹지도 못했고 결국 곰팡이가 네 몸을 뒤덮고 나서야 노란 음식물쓰레기 봉투에 너를 버리고 말았지. 불 앞에서 땀을 쏟아가며 너를 기름에 볶아냈던 시간들이 무색한 결말이었어. 한 가지 변명을 덧붙이자면, 곰팡이를 막기에는 자취방 냉장고가 너무 작고 성능이 좋지 않았다는 거야. 쉽게 상하는 반찬들과 요리 후 버려지는 자투리 재료들에 질려버린 나는 그 이후로 요리를 하지 않기로 결심했고, 그렇게 남겨진 네 명의 아이들을 외면하고 말았지. 아주 깨끗이 잊어버리고 말았어. 여름이 다 지나고 선선한 바람이 불기 시작할 때 즈음, 베란다 청소를 하던 중에 신문지 틈새로 머리카락을 길러낸 너의 자식들을 보기 전까지 말이야.

　그 아이들은 이미 부쩍 머리가 커서 세상의 쓴맛을 다 본 상태였지. 다른 재료들 사이에서 어우러지기에는 자기주장이 너무 강해져 버린 거야. 내 자취방에는 다 큰 아이들을 수용할 공간이 모자랐기에 나는 그 아이들을 쓰레기봉투에 넣을 수밖에 없었어. 그 아이들이 제 쓸모를 다하지 못하고 버려지게 해서 미안해. 몸집이 두 주먹만 한, 기골이 장대한 아이들이었는데 말이야. 가능성으로 똘똘 뭉친 아이들이 요리 안에서 얼마나 많은 능력을 발휘할 수 있었을까, 다시 생각하니 가슴이 아파오네.

　이제 나는 달라졌어. 외식도 이전만큼 자주 하지 않고, 반찬은 두 끼 먹을 만큼만 만드는 습관이 생겼어. 한 번 요리한 것들로 그날 하루 점심과 저녁을 먹으면 남기는 음식이 없게끔 말이야. 더 이상 버려지는 아이들이 없도록 하고 싶었어. 그렇게 몇 번의 계절이 더 흐르고 나서 나는 다시 너를 마주하게 되었지. 내가 다시 칼을 들고 너의 몸을 어루만지게 되었을 때에는 나도 모르게 눈물이 나더구나. 예전에는 아무리 매운 파를 만나도, 아무리 따끔한 청양고추를 다뤄도 눈도 꿈쩍하지 않던 내가 말이야. 아마 그동안 너를 홀대하고 너의 존재를 소중히 하지 않은 것에 대한 후회의 눈물이 아니었을까. 이제는 너의 역할을 누구보다 잘 알게 되었으니 네 자식들을 함부로 대하는 일 절대 없을 거야. 약속할게. 지금까지 내 밥상의 일부가 되어주어서 고마웠어. 앞으로도 잘 부탁해.

물망초 이야기

V. 가장 행복한 머나먼 날에

저는 지금, 당신이 먼 훗날에 맡겼던 선물을 보고 있습니다. 가장 행복한 날에 당신은 제게 수수께끼 하나를 주겠지요.

'상상할 수 있는 그 어떤 것도 지울 수 있는 지우개가 있다면, 나는 무엇을 지웠을까?'

평생, 모든 경우만 선택해온 저에게 그런 질문은 실례라고 당신께 대답합니다. 그러나 당신은 사용할 자격을 갖추지 못한다며, 선택권이 있는 나에게 맡겼다고 대답합니다. ― 언제나 그랬듯이요.

Ⅰ. 흑연

흔히 보이는 지우개가 쓰이게 된 기원에 대해 읽어본 적이 있었습니다. 중세 사람들은 잉크를 사용하는 펜에 익숙해진 터라, 글씨를 지운다는 생각을 딱히 하지 않았습니다. 이미 쓰인 글씨는 지울 수 없다는 걸 당연하게 받아들인 것입니다. 하지만 항상 마음 한 켠엔 〈글씨를 지우고 싶다.〉 라는 욕구가 있었던 모양입니다. 애써 만들어낸 글씨를 다시 무(無)로 돌린다니, 한편으로는 어리석지만 당연했던 염원 ― 뭉개지고 흩어지는 흑연을 사용하기 시작했을 때 비로소 이루어졌습니다. 다른 한편으로는, 뭉개지고 흩어지기 쉬운 글씨의 시대가 온 것입니다. 글씨를 지켜내기 어려워진 세상입니다.

개념·사건·서사 따위를 그리는 재료가 필연이고 그 도화지의 이름이 자연이라면, 흑연과 달리 쉽게 뭉개지지 않으니 한편으로는 다행입니다. 언젠가 지나갔던 시간이든, 사람·동물·식물 등에 일어났던 초라하거나 창대한 사건이든, 있었거나·있거나·있게 될 개념이든 없던 것으로 치부할 수 없이 확실히 각인되었으며·각인되며·각인될 것입니다. 이는 동시에 크나큰 결점이기도 하네요.

Ⅱ. 자신을 위해 쓸 수 없는 이유

지우고 싶은 것이라면 고통스러웠던 경험이나 눈에 보이지 않는 액운 등 사소한 여러 가지를 떠올릴 수 있겠으나, 막상 당신의 선물이 제 앞으로 온다면 그저 주저할 것입니다. 당신은 비정하게 대답합니다.

'어떤 사건을 지워버린 나는, 과연 더 나은 사람이었을까?'

단 하나의 못된 기억과 사건이 완벽히 없어졌어도 시간은 여전히 흐릅니다. 지우개를 사용해도 저는 항상 같은 시간 선상에 서있었습니다. 후에 당신을 망치는 일이 한 번 더 일어나지 않으리라는 보장도 없습니다. 저는 이윽고 지우개를 내려놓습니다.

Ⅳ. 당신은 오탈자(誤脫字自)입니다.

그럼 당신께 묻습니다 ― 만약 당신이 나고, 내가 당신이라면 지우개를 몇 번 사용할 것인지, 그리고 무얼 위해 지울 것인지. 당신은 이기적인 사람이어서 〈단 한 번만 사용할 수 있는 지우개〉를 가지고 있든, 〈여러 번 사용할 수 있는 지우개〉를 가지고 있든 언제나 나를 위해서 사용했다고 합니다. 그러나 잘 지워지지 않았고 그로 인해 당신이 있다고 말합니다.

'언제나 미안해.'

당신은 저에게 사과를 합니다.

Ⅲ. 사용법에 대한 고찰

그리고 당신은 저에게 질문을 합니다.

'나의 꿈은 뭐야?'

모두에게 도움이 되는 것 — 그것이 저의 원대한
꿈이며 마지막 꿈이라고 대답합니다. 그렇다면 역시
당신의 선물은 모두를 위해 써야겠습니다. 다수의 최
대 행복을 위해서 무엇을 지워야 할까요? 악의·분노·
슬픔 등 부정적 감정을 지우는 게 가장 현명한 선택
일까요? 듣기에 괜찮은 생각인듯 합니다. 하지만 단순
히 감정 하나를 지웠을 때 생기는 문제들은 한두가지
가 아닙니다. 분노를 지우면 부당한 일에 대응하는 능
력을 잃게 되고, 슬픔을 지우면 극복이란 단어의 의미
가 퇴색되고, 악의를 지우면 그의 대척점인 선의도 없
습니다. 다시 한 번 지우개를 내려놓습니다.

VI. 고해

당신께 거짓말을 고백합니다.

저의 꿈은 원대한 꿈이 아니며, 마지막 꿈도 아님을 고백합니다.

저의 꿈은 모두의 축복이 아닌, 당신을 위한 위선이었음을 고백합니다.

저의 꿈은 모두의 이름을 불러주는 것이 아닌, 모두가 당신의 이름을 불러주는 것임을 고백합니다.

그러나 저는 당신처럼 이기적인 선택을 내릴 자신이 없습니다.

Ⅶ. 가장 아름다운 선택

그러니 저는 언젠가 있을 마지막 순간을 장식해주는 소묘화를 그리고 있겠습니다. ― 조용한 5분, 적은 노잣돈, 그리고 오른쪽 아래에 자그맣게 당신의 이름을 적겠습니다. 그렇다면 당신은 추억이라 할 수 있는 빛바래고 흐드러진 소묘화를 하나씩 톺아보겠지요.

지우개는 당신이 좋아하는 꽃과 함께 고딕 무늬의 상자 안에 보관하겠습니다. 마지막 순간을 정할 선택권을 잃게 된다면 상자는 땅에 묻겠습니다. 허나 당신과의 약속을 어기고 마침내 이기적인 선택을 할 수 있는 경지에 이르게 된다면, 지우개를 다름 아닌 제 자신에게 쓰겠습니다. 당신이 저를 위해 스스로를 지웠듯이.

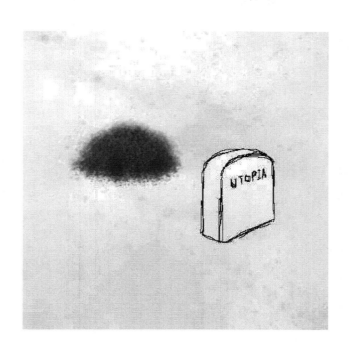

지 구

너에게

수납장 바닥에 흩어져 있는 양말을 주워 모으다가, 부엌 찬장을 열고 접시 하나 컵 하나 조심스레 내리다가, 낮은 책장을 빼곡히 채운 알록달록 제각각의 책들을 한 손에 서너 권씩 집어 상자에 쌓아 올리다가, 잊고 있던 작은 종잇조각 하나가 툭 떨어진 걸 느꼈어.

'네가 다섯 번 들춰보았던 책'

네 글씨더라. 빨간색 볼펜으로 쓰인. 함께 갔던 서점에서 살까, 말까, 한참을 고민했던 그 소설, 내가 이걸 잊고 있었어. 매섭게 부는 겨울바람을 손 꼭 잡고 헤쳐갔던 종로의 그 서점. 내 손끝이 어느 제목을 만지는지에 온 눈동자의 움직임을 집중하던 너와, 잠시라도 주변을 떠나지 않았던 너의 향에, 덕분에 나는 취해있는지도 몰랐고. 결국 다음을 기약하며 서점을 떠났었는데 네가 그 다음을 선물했었잖아. 서로의 다음이 서로일 거라는 빨간 믿음이 파래질 순간을 염두에 두지 않았던 날들이 있었잖아. 그 날들이, 그 조각들이 바로 여기에 있었어. 머리 위에, 발치에, 매일 여는 수납장 안에 약간은 흐트러진 채로 머물러 있었어. 매일 목말라 잠에서 깨는 널 위해 내가 떠다 놓은 침대 머리맡 물컵에, 내 차가운 발을 위해 네가 사다 놓은 실내화에, 서랍 속에 쌓인 쪽지들에 꾹꾹 눌어붙어 있어. 지워지지 않았더라. 잃어버리지 않았어. 모든 것이 남아있는 이곳에서 도망쳐나가고 있는 건 우리였어.

연우야. 우리가 우리를 잊었어. 스스로 식탁 위에 놓인 휴지조각으로 눈을 가려 눈동자의 움직임을 멈추고, 방문 앞에 떨어뜨린 눈물방울 긁어모아 흩뿌려 주변을 희석시키고... 서로가 서로에게 미처 건네지 못하고 쏟아버린 마음을 닦을 때, 애써 손금을 비집고 들어오는 물기만이 내것이라고 착각한 미운 마음들에 증발한 것이 이렇게 실재하는 줄도 모르고.

이곳에 남은 기억은 상처뿐인 줄로만 알았는데, 억 겹 같던 소음의 시간은 찰나였더라. 버젓이 여러 모양으로 남아있는 너와 나의 마음을, 우리가 보지 못한 이유가 뭐였을까 생각해. 뭐였을까. 담백했던 너의 이별 통보를 들으면서 나는 어떤 생각을 했었나.

네가 말했었지. 우리가 우리가 될 수 있었던, 각각의 범위를 가지고 있던 두 개체가 서로의 경계를 허물어가는 모습처럼 신비로운 일이 없다고 했잖아. 행여 아무것도 아닐 수 없던 관계에 의지를 더해 도화지를 만들어내는 게 퍽 설렌다고 말했던 날도 기억나. 행성이 충돌하는 것처럼 만나 합쳐지던 그 땅 위의 하늘을 우리는 부유했잖아. 땅이 갈라지던 것도, 건물이 무너지던 것도, 해일이 일어나던 것도 우리가 손잡고 있다는 사실에 비하면 마치 저 우주 반대편의 붕괴인 양 아무것도 아닌 일처럼 여겼지. 무한함으로 서로를 세뇌하며 부유하던 행위는 맥없이 무너지던 건물이 서로를 기대듯 밀어내며 버티게 됨과, 갈라진 땅속에서 끝없이 메아리치는 듯한 소리들과, 바닥에서부터 끌어올려진 생명체들이 지상에서 헐떡이는 것으로부터… 하늘이 닫혀버린 것만 같아. 눈이 멀고 땅을 디딜 수 없게 무중력이라는 우리에 갇힌 우리가, 끝내 우리를 벗어나려 발버둥쳤던 여기 2층 빌라에서

우리가 우리를

구겼어.

초록의 일기

일찍부터 볕이 좋았다. 어제는 온종일 칙칙했는데, 오늘은 명도가 높아 기운이 났다. 점점 쌀쌀해지고 있는데도 나를 위해 커튼을 치지 않는 네게 고마워하게 되는 날이었다. 너도 햇살을 좋아하니까, 오늘은 일찍 일어나서 햇살을 조금 더 오래 쬐면 좋지 않을까 생각했다. 마침 그 순간에 네가 시간을 확인하는 뒤척임 소리를 들었다. 잠이 많은 네가 아직 일어날 때가 아니었는데! 혹시 내 바람이 닿았나? 역시 우린 잘 통한다니까. 오랜만에 여유로운 아침을 즐기는 너를 보니 나까지 기분이 편안해져서 없는 코에서 소리가 흘러나오는 듯했다. 날이 좋다고 속삭이며 얌전히 날 쓰다

듬는 너의 손끝이 말랑했다. 어제는 깜빡했던데 오늘부터는 다시 잊지 말아, 응?

그나저나 요즘 다시 피부가 푸석푸석해지기 시작했다. 매끈하지 않으면 만지기에 영 좋지 않을 텐데. 그런 걱정이 무색하게도 네가 오늘 아침 먹여준 물 한 모금에 생기를 되찾은 것만 같았지 뭐야. 탱글탱글. 힘이 났다. 막 수분이 차오른 벅찬 기분도 한순간이었지만. 가짜 태양이 꺼지고 네 기척이 사라져 물을 머금은 채 잠시 정지해버렸다. 적막이 아쉬웠다. 날 좋은 날에 함께 낮잠이나 잤으면 했는데... 그래도 오늘 아침은 다른 아침보다 오래 곁에 있어주었으니 그걸로 만족해야겠다. 며칠만 버티면 다시 주말이니까.

종일 볕이 좋았다. 그 볕이 마음에 들어오는 날이라 다행이었다. 그 덕에 잎이 붕 떠서 뭐든 긍정적일 수 있었던 것 같다. 어제 같았으면 시름에 축 늘어졌을지도 모른다. 하나 더 들이겠다는 갑작스러운 너의 말이… 네가 그 말을 뱉은 순간의 공포는… 잠시 불꽃 앞의 풀이 되어버린 것 같았다. 다행히 햇살이 마음 정리할 수 있도록 다독여주었다. 네가 새 아이를 데려와도 괴롭히지 않아야지. 또 다른 가족이 생기는 걸 기쁜 마음으로 받아들여야지. 네가 나를 가족으로 받아들였던 것처럼, 낯설지 않게. 처음 온 방에 적응하기 힘들지 않도록 도와야겠다. 숨을 나누어줄래. 네가 가끔 주는 비타민? 우유? 그걸 공유해도 좋겠다. 레드 우드만큼 커진 것 같은 기분을 느껴 봤으면! 넌 관찰력이 좋아서 항상 부족하기 전에 챙겨주니 걱정할 필요는 없겠다. 오늘 오랜만에 네가 준 걸 끌어모아 마시면서, 온전히 내 몫일 때 열심히 먹어야겠다고 생각했다. 가족이 생기는 건 좋지만 아무래도 이건 정말 달콤해서 날 욕심쟁이로 만들어 버릴지도 모르겠다. 아쉬워하게 될 것만 같아… 근데 비타민이 맞는 말일까, 우유가 맞는 말일까? 둘이 같은 단어인가? 사실 딱히 궁금하진 않다. 어떤 단어를 쓰는지가 뭐 중요하겠어.

이젠 해가 창 안으로 가득 들어와도 뜨거움이 느껴지지 않는다. 너도 나도 추위를 걱정해야 하는 때가 다가오고 있다. 또 얼마나 벌벌 떨게 될지 가늠도 되지 않는다. ...그렇게 잠깐, 오지도 않은 겨울을 걱정했다가 적당한 가을볕에 한참을 누워있었다. 잠들지 않을 수 없는 볕을 맞으며 잠드는 시간을 아까워했다. 오늘이 주말이었으면- 하고 또 아쉬워했다. 이제는 잠든 건지 아닌 건지 모르겠는 상태로 내내 네가 언제 돌아올까 기다리고 있다. 주말 정오의 너와 같이. 우린 참 닮은 것도 많다. 이렇게 졸다 보면 저 멀리 태양 너머에서 다가오는 듯한 진동소리에 다시 잠에서 깨겠지. 네 발걸음은 무시할 수가 없으니까. 다른 인간과 헷갈릴 수도 없어. 넌 어쩜 그래. 이것 봐. 호랑이도 제 말하면 온다더니. 발걸음만으로도 넌 너임을.

따뜻한 붕어빵

겨울, 두꺼운 옷이 없다며 내 옷장을 뒤지던 동생이 나를 불렀다.

"형아~ 이거 뭐야?"

"우와, 이거 어디서 났어?"

"형아 옷장 속에 있던 코트에서. 이게 뭔데?"

"이거 핫팩이야. 몇 년 전에는 이렇게 생겼었어."

"정말?"

다시 받아들어 몇 번 흔들고는

"하나도 안 따뜻한데?"

"이건 그렇게 쓰는 거 아니야. 형이 해줄게."

  딱딱하게 굳은 핫팩을 녹이기 위해 물을 끓였다. 물고기 모양의 똑딱이 핫팩이었다. 이전에는 붕어빵 그림도 그려져 있었으나 주머니에 들어 있는 시간동안 닳고 닳아 지워진 듯 했다. 핫팩에 담긴 이야기가 기억났다.

  "나 추워."
"오늘 춥다고 말했잖아. 왜 이렇게 얇게 입고 왔어?"
"패딩 입으면 뚱뚱해보인단 말이야."
"그게 추운 것보다 싫어?"
"응."

  팔짱을 낀 채로 잔뜩 움츠려 덜덜 떨며 걸어가던 그녀는 대답하며 코를 훌쩍였다.

"... 아니. 추운 게 더 싫어."

"에휴, 말을 말자. 바보도 아니고."

"뭐? 안 그래도 추워서 짜증나는데 너까지 그럴래?"

"에휴."

못 이기는 척 코트를 벗었다. 땅을 보며 그녀에게

건넸다. 쑥스러워서 그런 건 절대 아니었다.

"자, 입어."

"뭐하냐?"

그녀가 나를 흘겨봤다.

"내가 양아치냐? 남의 옷 뺏어 입게."

"싫음 말아라?"

다시 옷을 입는 시늉을 하자 다급히 옷을 낚아챘다.

"싫다고는 안했거든."

"왜 괜히 센 척 하는 거야? 어차피 입을 거면서."

그녀는 내 코트를 입고는 깃을 세워 목 끝까지 단추를 채웠다. 나보다 몸집이 작아서 그런지 소매가 남아 덜렁거렸다. 그게 부끄러웠는지 손을 주머니에 넣고 걸었다.

"너는 괜찮아?"

"나는 내복 입고 왔어."

"근데 코트까지 입었어?"

"난 철저하잖아. 너랑 다르게."

"우이씨, 그래, 너 잘났다."

동생이 부르는 소리에 퍼뜩 정신이 들었다.

"형아, 물 끓어!"

"아, 맞다. 이제 집어넣고 투명해질 때까지 기다리면 돼."

"왜 투명해지는데?"

"안에 있는 게 녹아서 그런 거야."

"그럼 지금은 얼음이야?"

"아니, 얼음 비슷한… 뭐 그런 거지. 녹는 거 잘 보고 있어."

"알았어."

그러고는 다시 스마트폰으로 눈을 돌린다. 나도 다시 생각에 잠겼다.

그리고 그녀는 고개를 푹 숙이고 잠시 말이 없었다. 주머니에서 손을 꼼지락거리다가 아래를 본 채 뭔가를 턱 건넸다. 턱 이라기보다는 퍽 이었다.

하필 배를 맞아 아팠다.

"악! 뭐야 이거, 핫팩?"

"춥잖아! 빨리 너 써."

"방금 꺾은 거야? 따뜻하네."

"갖고 있다가 집 갈 때 줘. 가져갈 생각 하지 말고.
내꺼니깐."

핫팩 앞면에는 붕어빵 그림이 그려져 있었다.

"붕어빵 먹고 싶다."

"나도."

"몇 개 사갈까? 너 무슨 맛 좋아하냐?"

"난 슈크림."

"어, 나돈데. 그럼 4개 살까?"

"4개는 잔돈 필요하잖아. 3개만 사."

"그럼 누가 두개 먹어?"

"하나 반으로 잘라서 먹으면 되잖아! 너 바보야?"

"아, 그러네. 그럼 난 머리."

"내가 머리 먹을 거거든."

"그럼 난 꼬리. 어차피 맛은 똑같은데 뭐."

"그래."

"형, 이거 썼던 사람들 틀딱이래."

"아니거든? 이거 요즘도 쓰거든?"

"맞거든? 나는 한 번도 본 적 없거든?"

"문방구에 요즘 안파냐?"

"요즘 핫팩은 다 흔드는 거거든? 쇳가루 들어있는 거?"

"잼민이들은 모르나보네. 나 때는 다…"

"'나 때는'이래. 형아 진짜 틀딱 같애."

"아니라고! 핫팩 건지기나 해."

"치."

녹은 핫팩을 꺼내 조금 식혔다. 특유의 비닐 재질을 만져보니 그 때 생각이 더 선명해졌다. 투명해진 액체 안에서 똑딱이가 천천히 가라앉고 있었다.

"안에 동전 같은 거 보이지? 이게 똑딱인데, 이거를 꺾으면 돼. 한 번 해봐."

"응."

작은 손에 힘을 주자 똑딱 하는 소리가 들렸다. 그곳으로부터 액체가 굳어 하얗게 퍼져나갔다. 몇 초 되지 않아 핫팩 전체가 단단하게 굳었다.

"우와! 신기하다!"

"그치? 지금 핫팩보다 이게 더 낫지?"

"응! 이거 나 가질래!"

"안돼. 이거 내거거든? 오늘만 써."

"치."

"맛있다."

"그러게. 벌써 다 먹었어?"

"응. 이제 들어갈까?"

"그래… 맞다, 자. 핫팩 잘 썼다."

"아, 응."

핫팩을 돌려주고 그네에서 일어났다.

못내 옮기는 발걸음이 아쉬웠다.

함께 걷는 하교길은 언제나 짧게만 느껴졌다.

"갈게. 내일 보자."

"응, 아, 너 코트."

그녀는 가방을 내려놓고는 코트를 벗어 나에게

돌려주었다. 다시 입은 코트는 따뜻했다.

그리고 그 때…

문득 그 때 생각이 스쳤다.

"정우야, 이거 어디서 났다고 했지?"

"이거? 형아 방에 있던 코트 안주머니. 갈색!"

"갈색? 갈색 코트는 다 버렸는데?"

"아닌데? 제일 안쪽에 있어서 몰랐나부다. 형아
바보."

"야."

설마 하며 방으로 향했다. 옷장 제일 안쪽… 커다란
패딩 뒤에 갈색 코트가 걸려있었다. 아무래도 어렸을
적 입던 옷이다 보니 작아서 잘 보이지 않았나보다. 10
년도 더 전에 입던 옷이 아직도 있다니. 버린 줄만 알
았던 옷이다. 꺼내보니 개어진 모습 그대로 주름이 져
뻣뻣하다. 옷을 펼쳐 입어보았다. 어깨가 조금 끼는 것
말고는 잘 맞았다.

그 날 입었던 옷이다. 그녀에게 빌려줬던 옷. 못내 안
그런 척, 마지못한 척 하며 은근히 입어주길 바랐던 옷.
그리고 다시 돌려받아 입었을 때 그녀의 체온에 휘감겨
마치 그녀에게 안긴 듯 기분이 들게 해 준 옷. 그리고

그녀가 떠난 뒤 다시 꺼내지 않은 옷. 그 옷이다.

안주머니에 손을 집어넣었다. 손끝에 뭔가 닿았다. 꺼
내보니 꼬깃꼬깃 구겨진 종이 쪼가리였다.

안녕 정환아.

이렇게 편지 쓰는 건 처음이네.

항상 붙어다니고, 전화도 많이 하고 문자도 많이 했
는데 말이야.

그래도 이번에는 꼭 편지로 전해야겠다고 생각했어.

말로 하기에는 용기가 안 나고, 문자로 하기에는 무
거운 이야기라서 그래.

나 이민 가.

아빠 사업 때문이래. 나도 자세한 건 몰라. 미안해.

미국 캘리포니아로 가서 살 거야.

언제 돌아올지는 모르겠지만, 적어도 성인이 되고 나서야 돌아올 수 있을 거야.

나는 남고 싶었지만 방법이 없대. 같이 살 사람도 친척도 없고 해서.

학교도, 늘 먹던 급식도, 친구들이랑 놀던 시간도, 지금껏 해 온 공부도,

그리고 너랑 같이 돌아가는 길도 이제는 마지막이네.

너무 아쉽고, 항상 그리워할 거야.

──────────────────────────────

"형아~ 이거 끝났어~! 이제 안 따뜻해~"

"어어, 정우야. 형이 좀 있다 해줄게."

그래도 너무 걱정하지 마, 페메나 카톡으로 연락은 계속 할 수 있을 거야.

그리고 아직 몇 주 남았으니 그동안은 지금처럼 지낼 수 있어.

너가 이 편지를 언제 찾을 수 있을지 모르겠네.

내 쪽에서 먼저 알려주진 않을 테니, 만약 찾아서 읽게 되면 나에게 말해줄래?

그러면 나도 조금 더 용기를 낼 수 있을 것 같아.

빨리 찾아줬으면 좋겠어. 우리가 영영 떨어지기 전에.

많이 좋아했어.

안녕.

비행

바다는 찝찝함과 상쾌함을 둘 다 주는 존재이다. 바다는 낮에 보면 찬란하고 빛나는 푸른 여왕의 자태지만, 밤에 보면 망토를 뒤집어쓴 악귀처럼 어둡다.

해상 작전은 언제나 바닷물의 습기, 뱃멀미 그리고 항공모함과 비행기의 소음에 뒤덮여 진행되었다. 가끔은 신임 장교로 임관하였을 때를 그린다. 훈련비행단에서의 훈련은 육체적으로 힘들었지만, 오히려 마음은 편했었다. 내 임관 동기들과의 그 순간이 종종 그립곤 하다. 너희들은 어떤 하늘을 보고 있을까. 아니면 이미 하늘로 가버렸을까.

젖내가 물씬 나는 아이를 두고 나는 지금 전장에 나와 있다. 집에 못 간 지 몇 개월이나 되었는지 기억이

나지 않는다. 지난 크리스마스 이전에 갔었으니 이제 1년이 거의 다 되어간다. 아이는 얼마나 컸을까.

하늘에도 바다가 존재한다. 고도 7,000m 이상 올라가면 구름의 막을 뚫고 그 하늘을 볼 수 있다. 먹구름이 낀 날에 고도 10,000m 이상 올라갈 때 먹구름 사이를 뚫고 올라가면 구름의 바다를 볼 수 있다. 물론 해당 고도 위에서는 적기에 노출될 확률이 높기 때문에 자주 올라가지는 않지만, 한 번씩 보는 구름의 바다는 조종사들만 볼 수 있는 값진 경험이다.

임관하면서 개인의 사사로운 안위는 진작에 버렸다. 내 아내와 첫째, 그리고 아내 뱃속의 둘째가 평화로운 하늘을 볼 수 있다면 나는 내 한 목숨 불사를 각오가 되어있다.

본토 지역의 폭격 피해도 복구 공사가 제법 진행되었다는 얘기를 들었다. 하지만 여전히 항구에서는 수많은 걸인이 배에서 떨어질 콩고물을 구하고 있었다. 지난번에 우리 미드웨이 급 항모가 육지에 닿았을 때도 걸인들이 구걸하여 내 점퍼를 벗어 던져주었다. 새로 보급

받은 신형 조종사 비행 점퍼였다. 그걸 주운 걸인은 옷을 팔아서 번 돈으로 며칠간 밥은 잘 먹지 않았을까. 얼른 이 전쟁이 끝나고 모두가 평화를 되찾기를 바랄 뿐이다.

내 펜던트에는 아내와 아이 셋이서 지난번 귀국했을 때 찍은 사진이 있다. 나는 항시 그것을 전투기의 콕핏에 걸어두고, 전투기에 탑승할 때 펜던트에 입맞춤한 뒤 목에 건다.

'내 꼭 살아서 당신 곁으로 돌아가리라.'

하지만 오늘은 콕핏에 걸린 펜던트를 떼어 가슴 주머니에 집어넣었다. 지킬 수 없는 기도는 드리지 않았다.

항공모함 런위에 위로 파란 조명이 들어온다. 항공모함의 관제탑에서 이륙 허가 사인이 들어온다. 폭탄과 어뢰를 싣고 나는 하늘 위로 떠올랐다.

내 날개가 되어준 이 전투기 덕분에 여기까지 올 수 있었다. 나와 이 전투기 모두에게 마지막 비행일 것이다.

마지막까지 잘 부탁한다. 마지막으로 한 번만 더 나

를 저 수평선 끝으로, 저 구름 위로 올려다오.

고도를 급강하하여 적군의 항공모함 관제탑으로 돌진한다.

내 삶과 죽음의 경계선을 같이 달려와 준 전투기야. 너도 이제 편히 잠들렴.

강아지 똥

그 광경을 보고 있는 사람이 정녕 내가 맞는 건지 구별이 되지 않는다. 나는 마치 현실과 유리되어 제삼자의 입장에서 관찰자의 시점으로 보는 것만 같다. 이것이 정녕 우리 집이란 말인가.

오랜만에 부모님과 영화를 보고 집에 돌아왔다. 아마 집에서 마루가 집을 지키고 있겠거니 하고 생각하고 대문을 열었다.

최근에 우리 집에 마루라는 새 식구가 들어왔다. 어머니 친구분이 가족 여행을 가셔서 그 집 강아지를 우리 집이 며칠간 맡게 된 상황이었다. 털은 짧고, 연갈색이었는데 찰떡 과자를 연상시켰다. 얼굴은 눈코입이 마치 검은 바둑알이 박힌 것 같은 새끼 퍼그였다.

얼굴에 주름이 선명했고, 눈꼬리가 아래로 처져있었다. 마치 자신의 귀여움에 불쌍함 한 줌을 추가해서 사람들의 보호본능을 일으키려는 것 같았다.

집에서 백수 생활을 하는 누나가 마루의 보모 역할을 하고 있었다. 부모님의 등쌀에 못 이겨 반강제로 강아지의 밥과 변과 산책을 담당하게 되었다. 누나는 내가 오랜만에 본가에 오자마자 잘 왔다는 듯이 나를 반겨주었다. 불안한 징조다. 누나가 나에게 친절할 때는 무언가 문제가 생겼을 때만 해당하기 때문이다. 역시나 당당하게 폭력을 앞세워 나에게 본인의 의무를 떠넘기려 했다. 나는 과제가 많다는 핑계를 대며 누나의 폭압을 피해 어머니가 계신 안방으로 도망을 갔다.

마루는 새로 온 우리 집이 적응이 잘되지 않았는지, 며칠간 밥을 먹지 않았다. 먹은 게 없었으니 당연히 변을 제대로 보지도 않았다. 강아지용 배변 패드를 가져다줘도 힘없는 눈으로 배변 패드와 어머니를 한 번씩 번갈아 보고는 고개를 휙 돌리고 외면했다.

마루가 며칠간 화장실을 가지 않아서 조금 걱정했었는데 집에 오니 그 걱정은 안 해도 될 것 같았다. 강아지 배변 냄새가 났다. 그런데 냄새가 좀 심상치가 않았다. 강아지 배변 냄새가 온 집안에 진동했다. 마룻바닥이 발자국으로 똥칠이 되어있었다. 아아, 이 천사의 얼굴을 한 존재가 소악마 같은 사고를 치고 말았구나.

어머니는 경악을 금치 못하셨다. 어머니가 아끼는 새로 산 자코모 소파에 똥이 잔뜩 묻어 있었다. 어머니는 더 큰 불상사를 막기 위해 마루를 찾으셨고, 아버지는 혀를 쯧쯧 차며 걸레를 가지러 가셨다.

녀석도 본인이 저지른 일을 알았는지 불쌍하게 화초 뒤에 숨어있었다. 나는 현장 보존을 위한 경찰처럼 조심조심 사건 흔적들을 피해 가며 사건의 발자취를 추적했다. 배변 패드가 있어야 할 자리에는 배변 패드가 없이 뭉그러진 변만 있었다. 배변 패드 자리 근처에서 시작된 발자국과 이동 경로로 사건을 재구성해 봤을 때 결론은 하나였다. 누나가 씻어둔 배변 패드를 깔지 않고 나갔고, 하필 그때 마루가 변을 보러 갔다가 일어난 사건으로 추정되었다.

누나가 본인 할 일을 차일피일 미루더니 기어코 이 사달이 났구나. 이 정도의 죄목이면 누나의 용돈 두 달 치가 하늘로 증발하지 않을까. 나는 비탄에 잠길 누나를 생각하며 혀를 쯧쯧 차고 걸레를 건네받아 사건을 정리하였다.

작가의 말

이 글의 주제는 다음과 같습니다. '연령대가 다른 세 사람이 보지 말아야 할 것을 보고 있다. 이 중 한 명은 당신일 수도 있다.' 저는 평소에 글을 쓸 때, 무거운 주제로 글을 많이 썼었습니다. 그래서 이 주제를 처음 보았을 때도 무거운 주제가 떠올랐으나, 이번에는 가벼운 일상 글로 풀어내 보고 싶었습니다. 그래서 가족들끼리 친근하고도 정겨운 분위기의 글로 작성하였습니다. 강아지를 키워 본 적이 없지만, 실제로 있을 법 한 일로 재밌게 이야기를 만들어 보았습니다.

머피의 법칙

물 먹은 새벽. 단정하게 머리를 내리고 소재 좋은 회색 정장을 입은 남자가 아파트 문을 닫고 나왔다. 물이 조금씩 떨어지자 남자는 먹구름을 쳐다본다. 현관에 있을 튼튼한 장우산을 떠올린 남자의 구두코가 움찔댄다. 이내 이어지는 발걸음은 처음처럼 곧은 앞쪽이다. 깜빡거리는 가로등, 그 아래 남자의 서류가방이 흔들린다. 질 좋은 가죽 가방 곳곳에 난 상처가 빛을 받아 더 하얗게 보인다. 사람 하나 없는 시간, 신호등 불도 들어오지 않은 도로 위로 검은 구두가 소리를 낸다. 진흙이 가라앉은 물웅덩이를 피해 아스팔트를 밟는 순간 남자의 옆구리에 자동차 헤드라이트가 쏟아졌다. 급하게 몸을 비틀던 남자의 발목이 꺾이고 곧장 몸이 흙탕물에 처박힌다. 새까만 소나타는 속도를 줄이지 않고 도망치듯 코너를 돌아 사라졌다. 바닥에 난 바퀴자국만이 남자의 곁에 있어줄 뿐이었다. 혼이 나간 남자의 시선이 소나타의 꽁무니를 쫓았다. 남자가 얻은 것은 소나타 창문이 몸체보다 더 짙은 검정이라는 정보다.

"젠장!"

남자의 발악에도 밤공기는 여전히 침묵했다. 진흙이 피와 얽혀 떨어지는 손이 가방을 집었다. 구겨진 정장 속 더 구겨진 얼굴을 한 남자가 척척 발을 놀렸다. 씩씩한 그를 응원하듯 빗방울이 길게 내리더니 곧 빗줄기가 쏟아졌다. 잿빛이 된 정장이 구르다시피 지하철역으로 들어선다.

그때 누군가 남자의 팔을 잡아챈다. 어깨를 크게 편 남자는 아픈 것도 잊고 다친 손으로 주먹을 말아 쥐

고 고개를 돌렸다. 상대는 흰 블라우스에 검은 슬랙스
를 입은 갈색 곱슬머리가 인상적인 여자였다.

"괜찮으세요?"
"예?"
"옷이 많이 젖으셨어요."

갑작스러운 말이었지만 그 형태가 차분하고 다정한
것이어서 남자는 순간적으로 경계를 낮췄다. 미소를
짓는 여자의 눈동자는 머리카락과 같은 색이었다. 여
자는 부드럽게 남자의 주먹을 피면서 시선을 그의 손
으로 옮겼다.

"안 좋은 일이 있으셨나봐요. 많이 다치셨네요. 마
침 저한테 연고가 있어요. 짐을 맡겨뒀는데 근처거든
요. 잠시 따라오시겠어요?"

남자는 거절을 할 타이밍을 놓쳐 여자를 따라 걸었

다. 지각이 목전이라는 말을 목 안에서 맴맴 돌았다.

"평소에는 전혀 그 길로 다니지 않는데 오늘따라 그쪽으로 걷고 싶더라구요. 선생님을 만나려고 그랬나 봐요."

이때까지의 모든 불운은 액땜이었을까? 남자의 눈썹에서 힘이 빠졌다. 여자의 손가락은 부드러웠고 매끄럽게 정리된 손톱이 남자의 손을 단단히 붙들었다. 여자가 이끄는 방향이 지하철과 멀어질수록 남자의 속에서 경보음 소리가 커졌다.

"죄송하지만, 제가 지금 시간이 없어서요."
"아, 잠시면 되는데 10분도 안되시나요?"

여자의 적극성은 당황스러울 정도였으나 으레 인연은 뜬금없이 오는 것이므로 남자는 주머니에 든 휴대폰을 만졌다.

"제가 요즘 공부하고 있는 게 있는데 이렇게 만나게 된 것도 다 필요한 순간에 필요한 인연이 만나게 이끌어주신 거예요. 선생님께도 오랜 시간 선생님을 지켜주는 분이 계신 것으로 보여요. 혹시 평소에 꿈을 많이 꾸지 않으시나요? 제가 치료도 해드리고 해몽도 해드리면서 선생님께 얽혀있는 문제를 풀어드리고 싶어요."

일순 남자의 왼쪽 눈썹이 구겨졌다. 남자는 여자의 손을 세게 내치고 상투적인 말을 뱉었다.

"제가 바빠서요. 죄송합니다."

뒤이어 남자를 붙잡는 여자의 말이 이어졌지만 남자는 돌아보지 않고 에스컬레이터에 몸을 실었다. 손잡이에 의지한 채 지하로 내려가는 육체는 버팀목이 모두 무너진 듯 흐물거렸다. 습관적으로 내뱉은 사과가 남자를 따라왔다.

손잡이 너머 지하철에서 쏟아지는 사람들을 본 남자가 급하게 에스컬레이터를 뛰어 내려간다. 그런 남자를 맞이한 것은 입을 꾹 닫은 스크린 도어. 그 속에 비친 젖은 생쥐 한 마리다.

　겨우 다음 열차를 탄 남자는 천장에서 나오는 열기를 온전히 받아들이면서 눈을 감았다. 추위에 떨던 몸이 차체의 진동에 천천히 동화되어 균일한 주기로 흔들렸다. 안정적인 흔들림이 모든 잡념을 흐트러뜨리고 오직 진동만이 남자의 몸을 채웠다. 잘게 떨다 멈췄다 다시 출발할 때 크게 떨고 다시 잘게…

　커튼을 젖힌 듯 갑자기 쏟아지는 빛을 피하려 몸을 말던 남자는 퍼뜩 몸을 일으켰다. 눈앞에서 닫히는 문밖에는 난생 처음 보는 역이 보이고 휴대폰은 잘게 진동했다. 핏기 하나 없이 창백한 손이 휴대폰을 켜 몇몇 연락을 읽다가 그대로 화면을 껐다. 공기는 따뜻하고 쏟아지는 햇빛은 평화롭다. 옷은 언제 젖었냐는

듯 바싹 말라 남자의 몸을 감쌌다. 남자는 실이 다
풀린 표정으로 가방에 새로 난 상처를 매만졌다.

이대로 어디까지고 가버렸으면.
멈추지 말았으면 했다.

해파리의 꿈 337

고개를 들자 창 밖에는 눈이 내리고 있었다.

날도 다 풀린 마당에 갑자기 웬 눈?

창문을 열었더니 훈훈한 공기가 밀어닥쳤다. 방안에
꿉꿉하던 공기가 밀려나가고 나도 같이 딸려 나갔다.

떨

어

졌

다

지나가는 사람과 눈이 마주쳤다. 바닥에 떨어진 시선이 머쓱해서 허리를 짚고 일어났다. 이상하다. 미묘하게 팔다리 간격이 짧아진 느낌. 부드러운 털 뭉치가 눈가를 간지럽혔다. 힘들게 몸을 일으켰는데 여전히 사람들이 올려다 보이는 것이다. 양손을 바닥에 짚고 크게 몸을 펴니 털끝까지 온 세포가 곤두섰다. 기분이 좋아져 그대로 바닥을 박차고 달렸다. 이상하다고 생각했지만 지나친 사람이 웃고 있었으니 그걸로 됐다. 힘차게 달리는 와중에 다리 한쪽이 길어졌다. 뒤뚱거리는데 다른 쪽 다리도 양팔도 기이하게 길어졌다. 해파리마냥 흐느적대며 바닥을 기었다. 자전거가 허리를 밟고 지나갔다.

"야 이. 사람 있는 거 안 보이냐아!"

아프진 않은데 꺾인 부분이 고스란히 느껴져서 기분이 나빴다. 부서진 나무의자의 단면을 만지는 기분.

진짜 만져본 적 있어?

없지만 느낌 알잖냐. 알아들은 걸로 하자.

이제 어떻게 하나 싶은 와중 비가 내리기 시작했다. 옳지. 강이 점점 불어났다.

강이 있었어?

지금 있었던 걸로 자연스럽게 넘어간 거 안 보여?

강이 불어났다. 나는 아무렇지 않은 척 물에 빠져 손가락 하나하나를 들었다. 척추가 좀 덜렁거리기는 하는데 이정도면 아무도 모를 것 같아. 양팔과 다리를 한 방향으로 크게 감았다 풀어내자 엄청난 속도로 움직여졌다. 아니 빨려가는 건가. 물결을 느끼는 것만으로 어디로 가야할 지 알 수 있었다.

그럼 안경은 필요 없지 않을까?

음 맞는 말이야

고개를 세게 흔들자 코끝에서 버티던 쇠 조각이 버터처럼 흘러내렸다. 나는 코도 귀도 머리카락도 모두 물에 녹여버리고 점점 더 빠른 해파리가 됐다. 더 빠르게 헤엄치다 문득 방 안에 열어둔 창문이 떠올랐다. 비가 왔는데. 어제 빨아 둔 이불을 창 근처에 던져놨는데. 돌아가야겠다.

눈이 떠졌다. 머리가 뎅뎅 울려 대서 여기가 어딘가 했다. 고개를 돌려도 아무것도 보이지 않아서 손끝 감각으로 스탠드를 켰다. 불이 들어온 방 한구석에 창문이 보였다. 닫혀 있었다. 이불은 어디 있지? 상체를 일으키자 이불이 흘러내렸다. 바닥에 완전히 떨어지기 직전에 잡아챈 이불을 덮고 눈을 감았다. 다시 떴다. 스탠드 불 끄는 걸 깜빡했다. 스탠드 뒤로 보이는 창밖은 껌껌했다. 그래. 꿈이군. 다시 눈을 감았다.

그런데 만약 지금이 다음 날 밤이라면 어쩌지? 이미 하루가 지난 거라면?

생각이 또 입을 열었다.

조용히 해.

그치만 생각해봐. 몇 시인지 확인하지 않아도 괜찮겠어? 머리가 왜 아플까? 잠을 너무 많이 자 버린 게 아닐까? 숲 속의 공주 증후군이면? 전 세계인 중 1000명 안에 네가 들어버린 거라면? 그 사실을 모르고 다시 잠에 들었다가 1년이고 10년이고 잠만 잔다면? 지금 이 순간이 네가 살아서 맞이할 세상의 마지막이라면 어떡할래? 앞으로는 꿈만 꾸는 거야. 그래도 여전히 자고 싶어?

괜한 소리를 시작한 생각 때문에 도통 잘 수가 없었다. 손을 뻗어 휴대폰 놓아둔 곳을 더듬었는데 아무것도 잡히지 않았다. 아 정말! 휙 이불을 들추고 일어나 앉으니 휴대폰이 없었다. 스탠드로 손을 뻗는데 닿지 않았다. 점점 멀어지고 있었다. 동시에 내 팔도 길어졌다. 엉덩이가 축축해서 내려다보니 물렁물렁해진

하반신이 보였다.

"어."

창문이 깨지고 엄청난 속도의 물이 들어찼다. 나는
그 속에서 뱅뱅 돌고 으아아 비명을 질렀다. 사방에서
울리는 비명소리가 점점 물소리에 먹혔다. 잡아먹힌
다. 물한테. 매일 마시던 물이 나를 마신다. 물에게
몸을 빼앗긴다. 삶을 빼앗긴다. 뱅뱅 돈다. 뱅뱅. 살갗
에 닿는 물이 너무 차가웠다.

차갑다니?
그럼 지금 이게 현실인가?

나는 뱅뱅 도는 해파리였다. 사방이 막혀있다. 세탁
기다. 난 세탁기 안에서 돌아가는 해파리다.

어쩌다 세탁기에 들어간 걸까?

나는 모르지. 누가 날 뱅뱅 도는 세탁기에 넣었나.
봄인데 이렇게 춥다니. 누군지 몰라도 매정한 사람인
게 틀림없다. 아니 매정한 해파리?

뱅뱅 도는 시야를 참을 수 없어 눈을 감고 촉감으
로 문을 찾았다. 팔을 휘두르자 평평한 곳이 닿을락
말락했다. 내가 만진 것이 문이 아니라 벽이어도 문이
라고 믿으면 문이 되겠지. 탕탕 두드리며 돌았다.

"거기 매정한 해파리씨? 재밌냐? 읽고만 있지 말
고."

다시 한 번 크게 돌았다. 입에 물이 들어찼다. 팔다
리는 꼬여버렸다.

"야 이. 꺼내줘라! 으겨겨"

세탁기는 계속해서 덜컹거렸다. 밖에서 안을 들여다
보니 그 속에는 물 뿐이었다.

작가의 말

이 글을 쓰기 전에 소설 〈초록 시멘트〉를 읽었습니다. 정신분열증 주인공 시점에서 서술되는 글인데 〈해파리의 꿈 337〉도 그 영향을 받았습니다. 글이 안 써지던 날, 의식의 흐름대로 썼던 글이라 두서없고 분열되는 글이지만 그래서 또 쓰는 재미가 있었습니다.

'발이 밟혔는데 아프지 않았다. 아프다고 생각되지 않았다. 어쩌다보니 이 장소에 물감처럼 찍혀있었다. 뜨문뜨문 걸어봤는데 남은 흔적이 너무 짙어서 그만 걸어야겠다고 생각했다.'

〈해파리의 꿈 337〉은 저 문장들로부터 시작됐습니다. 어떻게든 글을 쓰려고 저 문장을 뱉었더니 해파리 한 마리가 나왔습니다.

이 글은 처음부터 끝까지 해파리가 꾸는 꿈입니다. 세탁기에서도 사라진 해파리는 지금 또 다른 꿈을 꾸고 있습니다. 어쩌면 물에게 잡아먹혀 해파리 육체는 끝이 났고 물이 그 삶을 이어 살고 있을 지도요. 제가 잠시 해파리의 꿈을 베껴 적었지만 꿈이 여기까지라고 해버릴 수는 없습니다. 해파리는 계속해서 꿈을 꾸고 이미 지나버린 꿈도 세어줘야 하니 337번째 꿈이라고 합시다.

분명 아파야하는데 아프지 않을 때 '어쩌면 지금 꿈을 꾸고 있을지도.'라는 생각을 합니다. 정말로 아픈데 아프다고 생각하지 못하는 거라면 생각이 아픔을 잡아먹었다고 할 수 있습니다. 생각이 육체로부터 삶을 빼앗은 거죠. 흔히 목숨을 빼앗는다고 하는데 목숨은 삶의 하위개념인데 삶도 빼앗을 수 있는 것이 아닌지. 사람의 목숨을 빼앗은 자는 죽은 자의 남을 삶을 빼앗아 살아간다, 그렇게 생각하면 무생물이 사람을 죽이면 육체를 잃은 삶은 어디로 가는지, 빼앗은

쪽이 삶을 이어서 살아낼 수 있다면 어떨까요?

인간은 매일 물을 마시지 않으면 죽을 수 있는 몸을 가졌습니다. 그런데 인간의 70%는 물입니다. 물을 마실 때는 인간이 주체가 되고 물이 객체가 되는데 물 때문에 죽는다면 주도권은 누구에게 있는 걸까요? '인간이 물을 죽이다.'는 안 되지만 '물이 인간을 죽이다.'는 가능합니다. 우리는 매일 물에게서 주도권을 가져와야합니다. 물을 마셔야해요. 물이 인간을 마시게 둘 수는 없으니까...

가끔은 객체가 되어보는 것도 좋습니다. 인간이라면 모두 객체가 되는 자신을 즐기는 DNA를 가졌으니까요. 글에 아주 집중하면 글이 나를 읽습니다. 깊숙이 있는 무언가를 읽어내고 글이 나를 씁니다. 그렇다면 작가는 누구라고 할 수 있을지?

무제

그 애가 학교 기숙사에서 떨어져 죽었다고 했을 때 별로 놀라지 않았다. '죽었다'는 소식에 놀라기보다 4년 만에 들은 이름과 얼굴을 기억 속에서 찾아내는 게 우선이었다. 영진이가 누구더라, 아. 1학년 때 같은 조였던, 숫기 없고 키가 작은 남자애. 군대 갔다는 소식을 들은 게 마지막이었는데. 나뿐만 아니고 우리과 같은 조였던 사람들의 반응은 모두 비슷했을 것이다. 회식 자리에 거의 나오지 않던 그 친구는 조 친구들이 모였을 때 '영진이 요즘 뭐하고 산다냐'는 물음으로 존재가 잊혀질만 할 때쯤 수면 위로 끄집어올려졌지만 그 물음에 확실한 대답을 할 수 있는 사람은 없었다. 2학년이 되면 서서히 연락이 드물어지는 다른 조와 다르게 우리 조는 유독 결속력이 좋았는데, 영진이는 그 와중에 잘 어울리지 못하는 친구였기에 우리와 공유하는 기억이라고는 전공 수업을 몇 번 같이 들으며 팀플한 것밖에는 없었다. 얼마 전에 기숙사 앞에 경찰차가 오갔던 게 이 일 때문이었을 거라고 짐작했다.

소식은 독감처럼 닫힌 입들을 뚫고 소리 없이 퍼져 나갔다. 다 같이 모인 자리에서는 모두가 아무 일도 없었던 것처럼 굴었지만 그 일이 있고 한 달 정도 후에 있었던 종총 뒤풀이에서는 평소와 다르게 공기가 무거웠다. 우리는 영진이의 이름을 깨진 유리조각 다루듯 눈앞에서 치웠다. 한 줌짜리 불편한 기억을 덮기 위해, 그리고 이번 학기에 갈아 넣은 체력을 보상받기 위해 부어라 마셔라 술을 들이켰다. 그리고 언제나 그랬듯 망한 성적을 자랑하고 쓰레기같이 가르치는 교수 뒷담을 하고 취업 어떻게 하냐는 한탄을 했다. 나는 소주 세 잔을 마시고 취한 채로 테이블 위에 초록색과 갈색 병들이 빼곡히 쌓여가는 것을 멍하니 앉아서 보고 있었다. 곳곳에 드러누운 사람들이 생기고 이 술잔이 내 술잔인지 니 술잔인지 구분할 수 없을 때쯤 정민이가 내 팔을 툭툭 치며 나가자는 손짓을 했다.

"아이스크림?"

"응."

우리는 바로 앞에 있는 편의점에서 쌍쌍바 하나와 초코우유를 사서 계단에 앉았다. 여름이 코앞에 왔는데도 살갗에 닿는 밤공기가 서늘했다.

"걔 있잖아. 장례식은 다 끝났겠지?"

반쯤 눈이 풀린 정민이가 혼잣말처럼 중얼거렸다. 왜소한 남자애가 기숙사 건물에서 몸을 던지고 건물 앞 화단에서 발견된다면, 대낮에 떨어지진 않았을 테고 한밤중에 떨어졌을 테니 몸이 땅에 부딪힐 때의

'퍽' 하는 소리는 들은 사람이 없을 가능성이 크다. 다음날 아침이 되어서야 지나가는 누군가 혹은 기숙사에서 나온 학생이 떨어져있는 팔과 피 웅덩이를 발견하고 경찰에 신고했을 것이다. 경찰 수사가 자살로 종결되었다면 진작에 장례식을 치르고 발인도 하지 않았을까. 그걸 몰라서 묻는 게 아닐 테니 그냥 입을 다물었다.

정민이는 아무 말 없이 초코우유를 쪽쪽 빨더니 이내 비척비척 일어났다. 됐다. 들어가자, 이제. 나는 먹다 남은 쌍쌍바 한 쪽을 들고 일어섰다. 녹은 아이스크림 때문에 손가락이 끈적거렸다.

싫은 날

쿵쿵쿵쿵, 한밤중에 들리는 노크 소리에 그녀는 퍼뜩 잠에서 깼다. 누군가에게 쫓기기라도 하는 듯 철문을 빠르게 두들기는 소리가 무방비로 누워있는 몸을 강타했다. 그녀는 자신이 들은 소리가 환청인지 아닌지 구별할 수 없었다. 피가 돌지 않는 머리를 부여잡고 노쇠한 장군처럼 힘겹게 몸을 일으켰다. 이불이 비늘 갑옷마냥 그녀의 몸에서 흘러내렸다. 새벽 2시, 모두가 잠든 아파트에서 갑자기 남의 집 문을 주먹으로 내려칠 사람은 없다고 믿었기에 그녀는 노크 소리를 꿈에서 들은 거라고 짐작했다. 혼자서 살고 있는 터라 하소연하거나 항의할 대상도 없어 도로 자리에 누웠다. 계절감이 맞지 않는 두툼한 솜이불이 그녀의 목을 옥죄었다. 혹시 아들이 들어온 것일까, 잠시 생각했지만 집 비밀번호는 아들이 떠난 이후로 바꾸지 않았기에 그럴 리가 없었다. 그녀는 한 줄기 희망을 잠재우고 자신을 끌어내리는 수마에 몸을 맡겼다.

그녀는 날이면 날마다 쫓기는 꿈을 꾼다. 과거에 얼굴만 알던, 잠시 스쳐지나갔던, 혹은 깊은 인연을 맺었던 사람들이 잠옷 바람으로 도망치는 그녀의 뒤꽁무니를 쫓아왔다. 가장 먼저 나타난 사람은 대학시절 알았던 선배였다. S 전자에 취업해서 회사를 다니다가 그의 결혼식에서 본 것을 마지막으로 연락이 끊어졌던 한 학년 위의 과 선배. 10년도 더 되었는데 가장 먼저 꿈에 나타난 사람이 왜 그였는지는 그녀도 알 수 없었다. 그는 난데없이 꿈에 나와서 그녀를 향해 뛰어왔다. 뭐라고 소리치는 것 같았지만 물속에서 듣는 것처럼 들리지 않았다. 발바닥의 감각만은 생생했다. 발가락 끝에서 쿵쿵 뛰는 맥박이 그녀에게 도망가야 한다고 말했기에 그녀는 도망쳤다. 장막처럼 드리우는 새까만 두려움을 뒤로한 채 미친 듯이 뛰었다. 그렇게 매일 밤마다 꿈속에서 달리기 시작했고 매일 쫓아오는 사람들은 달랐다.

귤은 귤이다

귤은 존재했다.

귤은 노란빛을 띤 주황빛의 뽐낼 만한 색깔을 가지고 있었다. 파란 꼭지 근처에 주름이 알맞게 잡혀 있고, 테이블과 맞닿은 껍질 부근엔 가무잡잡한 점들이 네 개 정도 있었다. 지나치게 번들거리지 않고, 적당히 흠집이 나 있으며, 탱탱한 몸집이 누가 보더라도 먹음직스러운 귤이라 할만 했다.

옅은 담홍빛의 피부를 가진 귤은 스스로를 자랑스러워했다. 그런 종류의 색깔은 우수/최우수 품종의 귤이라면 누구나 가지고 있는 것이었지만, 귤마다 아주

미세한 차이가 있었다. 어떤 귤은 조금 더 노랗고, 어떤 귤은 더 붉은 빛을 띠었으며, 어떤 귤은 벌레가 건드리지도 않은 듯 흠집 하나 없이 깨끗하기도 했다. 그러나 귤은 자신의 색깔과 흠집과 점이 가장 예뻐 보였기에 스스로의 성질에 만족했다.

테이블 위에 덩그러니 놓인 귤은 자신이 언제부터 여기에 있었는지, 어떤 경위로 여기에 놓이게 되었는지에 대해 종종 생각하곤 했다. 과거를 되짚을 때면 주위에 무성한 잎사귀와 다른 형제들, 그리고 엄마의 든든한 줄기가 어렴풋이 떠올랐다. 때로는 길고 차가운 감귤선별기의 막대기가 몸통을 굴리던 기억이 떠올랐다. 선별기를 통과하면서 우수 품종으로 분류되어서 빨간 마크가 붙은 커다란 박스로 옮겨졌던 것 같기도 했다. 그러나 기억은 마치 꿈처럼 아득했다. 그가 떠올리는 흐릿한 영상들이 실제로 경험한 일인지 아니면 그저 우수 품종으로 분류되면서 주입받은 '좋은 과거'에 대한 패러다임인지 알 수 없었다.

귤은 하나의 생명이자 물질이자 정신이었다. 그는 자신이 분자의 결속체로써 공기를 밀어내고 일정한 공간을 차지한다는 것을 믿었다. 자신이 사라진다면 동그란 몸뚱어리가 있던 공간은 공동(空洞)으로 남을 것이며 그것이 곧 자신의 존재를 증명해줄 것이라 믿었다. 그러나 그 증명을 위해서는 자신이 흔적도 없이 사라져야 했으므로 지금 당장은 그렇게 할 수 없었다. 그에게는 존재를 증명하는 일보다 자신의 존재에 대한 감각을 유지하는 일이 더 중요했기 때문이다.

그렇기에 그는 자신의 물질성과 정신성을 증명할 수는 없었지만 세계에 대한 자신의 감각을 확신했다. 몸을 덮고 있는 껍질의 안락함, 단단한 꼭지와 미지근하게 닿아오는 테이블의 감촉을 믿었다.

그는 자신의 알맹이들에 이름을 붙이곤 했다. 분명 그 알맹이들은 하얗고 얇은 외피에 의해 물리적으로 구분되어 있었지만, 아직 살이 차오르지 않은 상태였기에 반달 모양의 윤기 나는 형상이라기보다 동그랗고 쭈글쭈글한 바람 빠진 풍선 같은 모양새였다. 한데 뭉쳐있는 여덟 개의 풍선 덩어리는 각각이 구분되기보다 하나의 쭈그렁한 풍선으로 보이기도 했다. 그럼에도 귤은 자신의 알맹이들이 성장할 것을 믿었기에 미리 그들을 구분지어 1, 2, 3, 4... 라고 이름을 붙였다.

시간이 지날수록 영글고 속이 차오르는 알맹이들은 각각이 구별되기 시작했다. 귤은 그들에게 번호가 아닌 새로운 이름을 붙이기로 마음먹었다. 오렌지, 레몬, 라임, 유자, 자몽... 그러다 신 맛에 질린 귤은 다른 이름을 붙이기도 했다. 복숭아, 샐러리, 토마토, 재스민, 조약돌, 비둘기... 귤은 어떨 땐 스스로를 오렌지라고 생각하기도, 어떨 땐 비둘기라 생각하기도 했다. 그러나 겉으로 보이는 모습엔 차이가 없었다. 당연한 일이다. 귤은 여전히 귤이었기 때문이다. 스스로를 재스민이라 부르든 라임이라 부르든 귤이 귤임은 변하지 않는 사실이었으며 귤 역시 그것을 알고 있었다. 그러나 자신의 안에 다양하게 이름 붙인 알맹이들을 소중히 여겼으며 그들 각각이 개체로써 구분된다는 사실을 믿었다. 그건 일종의 소망에 가까웠다.

길몽

보통의 꿈들은 불특정한 장소에서부터 시작된다. 그러다 몇 번은 특정한 장소가 나오는 반복된 꿈을 꾸기도 한다. 그 꿈은 내용마저도 반복되어 나타났다. 오늘 내가 있게 된 곳 역시 굉장히 낯이 익은 곳이다. 광봉동 성광아파트. 나는 중학교 3학년 때 전학가기 전까지 살았던 아파트에 있다. 그리고 눈앞에는 엘리베이터가 있다. 이 아파트가 등장하는 꿈을 꾼 지도 네댓 번 됐는데 그럴 때마다 기분 좋았던 적이 없었다. 그때 우리는 꼭대기 층인 15층에 살았기 때문에 항상 엘리베이터를 타고 다녀야 했다. 어린 마음에 15층에 산다는 사실을 어느 정도 자랑스럽게 여겼으며 가장 낮은 층에서 가장 높은 층을 올라가는 동안

우쭐하기도 했다. 마치 펜트하우스에서 살고 있는 사람이 된 듯 말이다. 언젠가 그 생각이 얼마나 바보 같았는지 깨달은 적이 있는데, 아파트 전체가 정전되는 바람에 엘리베이터는 물론이고 계단 센서등도 꺼졌던 날이었다. 사람이 있어도 켜지지 않는 조명 아래 어두컴컴한 좁은 계단을 오를 때면 별다른 까닭 없이 등골이 오싹해졌었다. 기억 속에 심어진 공포감 때문이었을까. 꿈의 배경으로 그 아파트가 나오면 나는 항상 그 엘리베이터를 타고 올라가야 하는 일종의 임무를 수행해야 했다. 1층에서 15층까지 올라가는 동안 좁은 사각형 안에서도 누군가 계속 쫓아오는 느낌에 상당한 위압감을 느낀 적도 있었다. 한번은 같이 타고 있던 누군가가 살기를 뿜고 있었는데 그는 곧 악마 또는 귀신 형태로 변하며 나를 죽이려 하는 상황이 연출되기도 했다. 대부분 꿈속에서는 내 몸 중 눈만 빌려서 마치 VR을 보는 느낌이 들었다. 그 기분 나쁜 악몽에서 탈출하기 위해서는 15층에 도착해서 문이 열리거나 도착하기 전에 내가 추락해야 한다.

엘리베이터가 지하 층(B3)에서 천천히 올라온다. 우리 아파트에 지하층은 존재하지 않았다. 문이 열리고 걸어 들어가 (15)버튼을 누른 후 (닫힘)을 누른다. (닫힘) 옆에는 (닫힘)이 있다. 문이 닫히고 엘리베이터는 천천히 올라가기 시작한다. 1..2..3..4에서 멈추더니 검은 후드를 뒤집어쓴 사람이 탄다. 우리 아파트는 4층을 F라고 표시했다. 7..8..11..14. 그가 내리자 나는 (닫힘)을 연타한 뒤 안도의 한숨을 쉰다. 다시 천천히 올라가는 엘리베이터. 층 표시기를 올려다본다. 15..16..17.. 계속해서 올라가는 숫자에 가슴이 철렁하여 뒤를 돌아보니 그 사람이 아직 내 뒤에 있다. 그의 손에는 피가 흥건히 묻은 큰 자루가 들려있다. 나는 겁에 질려 뒷걸음치다가 얼떨결에 등으로 문을 밀어냈고 몸이 그 밑으로 떨어진다.

덜컥 잠에서 깼을 때 여기가 어디인지부터 두 눈으로 확인해야 했다. 눈앞엔 창문이 보였고 내 몸은 침대 위에 있었다. 나는 '현실'에 있다. 현실감을 느끼기 시작하자 시계부터 확인한다. 9시 30분, 서둘러 약속 갈 채비를 했다. 이런 기분 나쁜 꿈도 오랜만이라고 해도 될지 고민하다가 찝찝한 마음에 친구에게 물어 보았다.

"현민아. 너 해몽 좀 아는 거 있냐?"
"하몽? 그거 햄 맛있지. 근데 엄청 짜."
"됐다, 새꺄. 너한테 무슨 해몽을 물어보냐."
"아 뭔데…"

원래 이런 분야는 지식인 태양신께 물어보는 게 가장 현명하다고 했다. 네이버에 '사람 죽는 꿈'을 검색하자 연관 검색어로 '사람 죽는 꿈 해몽'이 보였다. 그 밑에는 운세, 타로상담 광고 배너가 보였다. 그러다 문득, 며칠 전 유튜브에서 한 남자가 목에 칼을 맞고 피가 뿜어져 나오는 꿈을 꾸고 나서 로또를 샀는데, 그 길로 1등 당첨이 됐다는 영상이 기억났다. 이거다! 물론 내 목에 칼까지 들어오진 않았지만 어찌

됐든 비슷한 결의 길몽을 꿨다는 확신이 들자 괜스레 기분이 좋아졌다.

"오, 이 새끼 뭔데 얼굴이 갑자기 밝아졌지? 지수한테 연락 왔냐?"

"현민아. 형이 곧 하몽 배터질 만큼 사줄게. 기대해라?"

"진짜? 구라면 뒤진다."

집으로 돌아오는 길에 동네에서 나름 명당이라고 소문난 복권가게로 갔다. 점퍼 안주머니에서 구겨진 만 원짜리 세 장을 꺼내 주인에게 건넸다. 지난 달 할아버지 병문안을 들렸다가 받은 용돈이었다. 그래도 손자라고 챙겨주신 할아버지께 괜히 죄송했지만 이번 기회에 집안을 일으켜 더 큰 효도로 보답하리라, 다짐하며 자동 복권 3만원 어치를 주문했다.

토요일 20시 35분. 일생일대의 기회를 노리며 손에

땀을 쥐고 추첨결과를 기다렸다. 로또 번호 30개를 일일이 맞춰 보기는 귀찮았다. 대신 사이트에 결과가 뜨자마자 한 장씩 QR코드를 찍어 한 번에 결과를 확인했다.

'아쉽게도, 낙첨되었습니다.'

그래, 첫 번째 용지부터 당첨되는 건 드라마에서나 있을 법한 일이라고 생각했다. 다음 용지도 확인했다.

'축하합니다! 총 5,000원 당첨'

그나마 한 장짜리 본전은 찾았다는 사실에 기분이 좋아졌다. 서둘러 나머지도 확인했다. 낙첨, 낙첨, 낙첨. 에라이, 그깟 요상한 꿈 한 번 꿨다고 로또를 3만 원어치나 산 스스로가 한심하기 짝이 없었다. 쯧, 혀를 차며 남은 미련 없이 나머지 결과도 대충 찍어봤다.

'축하합니다! 총 50,000원 당첨'

이번에는 '0'이 한개 더 많아보였다. 인식 오류라도 났을까 싶은 마음에 인터넷을 종료했다가 QR코드를 다시 찍어 확인해봤지만 분명 5 옆에 0이 네 개 있는 50,000원이 맞았다. 입 꼬리가 광대에 걸려 내려올 생각을 않았지만 들뜬 마음을 금세 가라앉히고 냉철하게 생각하기 시작했다. 정말 무서운 꿈 한 번 꿨다고 그 덕에 로또 4등에 당첨된 것일까. 그러면 지금까지 비슷한 꿈을 꿨을 때도 이런 일이 있었어야 하지 않나. 아니, 그땐 아무것도 행동에 옮기지 않았을 뿐이다. 이제라도 알았으니 그 효과 한 번 써먹어보자, 다짐했다. 다만 그전에 검증 단계 한 번쯤은 필요했다. 돈에 눈이 멀었다고 해도 꿈 따위로 인생역전 하겠다는 건 아무리 생각해도 정말 미친놈 같았다. 그러니 어제 꿈과 비슷한 꿈을 한 번 더 꿔보고 효과가 또 있는지 다음 주쯤 다시 검증하기로 했다.

눈이 떠졌다. 자면서 웬 땀을 잔뜩 흘렸는지 침대보와 베개가 축축한 게 느껴졌다. 방을 한 번 둘러보았다. 몸에서는 열기가 잔뜩 올라와있었다. 물이라도 끼얹어야 할 것 같아 화장실로 갔다. 평소에는 쩌 죽어도 샤워는 따뜻한 물로 했지만 오늘만큼은 찬물이 어야 했다. 샤워기를 틀어놓고 찝찝한 꿈을 되새겨 보 았다. *빌라, 불길, 창문에 사람.* 아니, 기억하고 싶지 않았다. 생각할수록 찝찝한 수준이 아니라 불쾌하고 거북한 꿈이었다. 분명 그때는 내가 죽거나 죽이는 장 면은 없었다. 단지 엘리베이터 안에서 본 누군가가 피 가 묻은 자루를 쥐고 있었고 나는 그 밖으로 떨어졌 을 뿐이었다. 생각해보면 내가 죽음에 실질적으로 가 담한 상황은 아니었는데 오늘은 달랐다. *집안에 불이 붙었다.* 누군가 일부러 불을 낸 건 아닌 것 같았다. 불길은 순식간에 번졌고 내가 할 수 있는 게 없었을 뿐이다. *제발 꺼내주세요.* 창문 너머 사람이 보였지만 불이 난 빌라에 무턱대고 들어갈 순 없었다. 그냥 꿈 이었을 뿐이라고 기억을 떨쳐내고 싶었다. 대체 이 꿈 을 왜 꾼 건지 생각하다가 지난주 기괴한 꿈을 꾸고 5만원을 벌었던 기억이 났다. 아, 마음이 놓였다. 몇 가지 기억들이 머릿속을 스쳐지나갔다. 얼른 샤워기를 끄고 핸드폰으로 '불나는 꿈'을 검색했다. 불이 나오

는 꿈에도 여러 종류가 있었지만 대체적으로 길몽이
라고 나왔다. 사람이 불에 타죽는 꿈도 길몽에 포함되
어 있었다. 왠지 모를 죄책감 때문에 계속 신경 쓰일
것 같았는데 잘된 일이었다. 그리고 달력을 확인했다.
토요일이었다. 서둘러 몸을 닦고 옷은 대충 챙겨 입어
나갔다.

"자동으로 오천…"

"네? 얼마나 드려요."

"자동 오 만원 주세요."

순간 돈 낭비가 아닐까 하는 생각에 망설이긴 했지
만 지난주에 당첨됐던 5만원을 도로 꺼내어 복권방
주인에게 건넸다. 몇 초간 출력되는 소리가 들렸고 내
손에는 하얗고 네모난 종이 10장이 들려있었다. 이
종이쪼가리가 내 인생에 얼마나 대단한 영광을 가져
다줄지 궁금했다. 오후 3시 40분. 번호가 발표되려면
5시간이나 남았다. 머릿속에서 잡다한 생각들이 신속

하고 거침없이 지나갔다. 이번에도 당첨된다면 이거야
말로 하늘이 주는 계시다. 꿈에서 번호를 점지해주는
조상님은 없어도 하늘이 대신 나서서 도와주는구나.
그런데, 사람 타죽은 거면 얼마 정도 벌려나? 기왕이
면 5만원이나 태웠으니까 본전 이상으로 뽑으려면 3
등 정도는 당첨돼야 하는 셈이었다. *제발 살려주세요.*
꿈에서 죽어가던 사람이 순간적으로 떠올랐다. 나는
분명 그와 눈이 마주쳤었다. 정확히 말하면 그을린 안
구가 나를 바라보고 있던 것 같았다. 그리고 타오르던
손가락은 나를 향해 있었다. 괜히 고개를 털어 기억을
떨쳐내려고 했다. 꿈이었을 뿐이다. 내가 불을 지른
것도 아니고 그냥 꿈에서 본 장면에 불과했다. 냉철하
게 생각하자. 이런 좋은 기회가 언제 올지도 모르는데
마냥 흘려보낼 순 없었다. 집에 돌아와도 결과가 발표
되려면 4시간이나 넘게 기다려야 했다. 어차피 이런
시간은 빨리 가지도 않는다. 그럴 바에야 소파에서 눈
이나 붙여야겠다고 생각했다.

타닥. 타닥. 어디서 장작 때는 소리가 들린다. 모닥불 ASMR 영상을 틀어놨었나. *눈앞은 어두웠다. 아무것도 안보일 정도로 깜깜하지는 않고 어두컴컴함 속에 붉은 빛이 무언가에 깔려있다는 느낌만 들었다. 꺼내달라고 했잖아.*

눈이 떠졌다. 거칠게 숨을 내뱉으며 이리저리 살펴봤더니 목과 가슴팍에 식은땀이 한껏 나있었다. 무의식적으로 시계를 확인했다. 오후 9시 10분, 로또 결과가 나와 있을 시간이었다. 잠깐 눈 붙이려고 누웠는데 몇 시간이나 잤는지 모르겠다. 숨이 잘 쉬어지지 않았다. 억지로 침을 삼켜가며 호흡하려고 애썼다. 찝찝하다 못해 무서웠던 꿈은 기억조차 나지 않았다. 지금 눈앞에는 '2등'이라는 글자가 뜬 핸드폰을 간신히 잡고 있는 것도 힘들었으니 말이다.

생각지도 못한 큰돈이 손에 들어오면 눈이 뒤집혀 물불 안 가리고 행동할 거라고 생각했겠지만 나는 그렇게 멍청하지 않았다. 오히려 전두엽이 활발해지면서 개안(開眼)하는 수준에 가까웠다. 누군가 인생은 게임을 하는 것처럼 전략적으로 살아야 한다고 했다. 우선 내가 꿈을 꾸고 로또 2등에 당첨되기까지의 과정을 그려보았다. 첫 번째, 무서운 꿈을 꾸었다. 꿈속에서 느끼는 무섭다는 감정을 객관화된 수치로 표현할 수는 없을 노릇이지만 통상적으로 꿈에서 깨어 일어났을 때 심장박동이 빨랐던 꿈들을 기준으로 삼았다. 두 번째, 해몽을 찾아본다. 꿈을 해석한다는 것부터 비과학적이긴 하지만 구전되는 내용을 토대로 했을 때 흔히 '길몽'이라고 여겨지는 꿈을 꿨을 때를 선별하였다. 세 번째, 물질적 이득을 취해본다. 여기서 다양한 변수가 존재할 것이라고 생각된다. 아직 시도해본 것은 로또 구매 정도지만 어떤 이득을 취하냐에 따라 무궁무진한 결과를 얻을 수 있다고 생각하였다. 그리고 무서운 정도에 따라서 이득의 크기도 커지는지, 어느 정도의 길몽이어야 물질적 이득을 취할 수 있는 건지 궁금한 것이 한두 개가 아니었다. 무엇보다 중요한 것은 이 과정이 우연이 아니라 마치 함수나 수학

공식처럼 작용하는 지였다. 어디에 물어볼 수도 없는 이 답답함은 오롯이 스스로 풀어야만 하는 숙제라고 생각했다. 처음엔 무서운 꿈을 일부러 꾸는 일이 마음대로 되지는 않았지만 모든 일에는 도전이 있어야만 성과가 있는 법이었다. 억지로라도 침대에 몸을 뉘인다.

골목길을 걷고 있다. 거리에는 인기척이 들리지 않고 바람도 불지 않는다. 여기가 어디인가 싶을 무렵 빌라 한 채가 보인다. *왠지 기시감이 들어 기억을 더듬어보니 지난번 꿈에서 불에 탔던 집이었다. 불에 타고 있던 것도 꿈이었지만 아직도 불에 타버린 채 있는 모습을 다시 보니 현실감이 느껴지는 듯하다. 괜한 마음에 빌라 주변을 한 바퀴 빙 둘러보았지만 여전히 어떠한 인기척도 없다. 헛헛한 마음으로 집으로 발걸음을 돌린다. 걷다보니 꿈에서 내 의지로 어딜 가는 것이 처음인 것 같아 신기하다. 이게 루시드 드림이라는 건가? 꿈이니까 뭐든 해볼 수 있지 않을까 싶어서*

설레던 차에 골목 안에서 사람 실루엣이 보인다. *꿈속에서 다른 사람이 보이는 경우는 길몽 아니면 흉몽 둘 중에 하나였다.* **심장박동이 빨라진다.** *저 사람이 나를 해칠까, 아니면 무슨 짓을 벌이고 있을까, 나는 어떻게 해야 하지.* 일단은 발걸음을 멈추고 골목 안을 들여다본다. 그 사람은 무언가를 내리치고 있다. 바닥에 있는 무언가는 움직이는 것 같기도 하다. *설마, 사람인가?* 무의식적으로 다가가자 그 사람이 이쪽을 쳐다봤고 눈이 마주치고 말았다. *검은 마스크에 검은 모자, 드라마에서 보던 전형적인 범죄자의 모습이었다.* 바닥에 있던 무언가, 아니 사람도 인기척을 느꼈는지 살려달라고 소리치기 시작한다. *그런데 어디서 들어본 목소리다. 어디서 들어봤지..* **아, 현민이 목소리였다.** *하몽 배터지게 사주기로 했던 현민이.* 순간, 피식하고 웃음이 나왔다. *아 꿈이었네. 그래, 현민이가 저기서 맞아 죽고 있을 리가 없지.* 뒤돌아서 골목을 빠져나와 다시 가던 길을 갔다. *이번엔 로또 몇 장을 사볼까.*

장진주(將進酒) 이야기

#0

지도를 있는 대로 바라보지 않고, 뒤집어야만 보이는 곳.

싱그러운 꿈보다 빛바랜 꿈에 익숙해질 때 즈음 마침내 보이는 이곳엔, 주인 없는 바다가 있다.

바다는 귀천 상관없이 모두에게 공평히 항해할 권리를 준다.

항해 끝에는 밤낮으로 춤추는 해무(海霧)가 있는데, 워낙 깊어 들어온 사람들로 하여금 한 치 정도밖에 보이지 않는 장님으로 만든다고 한다.

이를 가르고 나면 둔덕 위에 원숭이가 어설피 휘파람을 불며 들어오는 사람을 맞이한다고 한다.

원숭이의 말에 따르면, 인간은 어리석어서 항상 분실물을 두고 간다고 한다.

　어찌나 어리석은지, 잃어버렸다는 자각조차 못하며 지낸다고 한다.

　원숭이는 자신을 찾아오는 인간들에게 분실물을 찾아주는 역할을 하고 있다.

#1

아무개가 분실물을 찾으러 원숭이에게로 왔다.

원숭이는 그에게 이름을 물었다.

그는 모든 권력을 가진 인간이다.

2백만명의 군사의 수장이며, 16개의 큰 지역의 영주이며, 3000명의 추종자, 5개의 훈장을 가지고 있다.

한마디로, 세간에선 그는 '왕'이라고 불리는 듯했다.

'짐에게 어서 대령하거라.'

그는 원숭이를 재촉한다.

원숭이는 그의 이름이 적힌 상자를 꺼내, 상자 안을 보여주었다.

그는 분노한다.

'감히 짐을 능멸해?'

그는 원숭이를 마구 즈려밟는다.

그리고 분실물을 가지고 자리를 떠난다.

#2

아무개가 분실물을 찾으러 원숭이에게로 왔다.

원숭이는 그에게 이름을 물었다.

그는 모든 명예를 가진 인간이다.

곳곳에는 그를 찬미하는 추종자가 있으며, 일부는 그를 신이라고 주장하기도 할 정도이다.

그는 여러 제자들과 함께 왔으며, 그들은 그를 뒤따라오며 자신의 스승이 숨긴 분실물을 기다리고 있었다.

정작 그는 자신에겐 분실물이 없다고 주장한다.

원숭이는 그의 이름이 적힌 상자를 꺼내, 상자 안을 보여주었다.

그의 제자들은 실망하며 그의 곁을 떠나갔다.

홀로 남겨진 그는 벙찐 상태로 몇초를 가만히 있더니, 이내 입을 연다.

'너가 기필코 나의 가장 깊은 비밀을 찾아냈구나!'

그리고 분실물을 가지고 자리를 떠난다.

#3

아무개가 분실물을 찾으러 원숭이에게로 왔다.

원숭이는 그에게 이름을 물었다.

그는 모든 지식을 가진 인간이다.

그는 원숭이에게 고민을 털어놓는다.

'나는 여태 삼라만상의 진리를 찾아 해매었소.

이런 노력이 닿았는지, 나는 현자라고 불리게 되었
소.

다만, 공허함이 남아 있소.

이건 분명 내가 여태 알지 못했던 지식의 보배일
것이오.'

원숭이는 그의 이름이 적힌 상자를 꺼내, 상자 안을 보여주었다.

그는 당황했으나, 이내 호탕하게 웃는다.
'내가 여태 모르던 진리가 여기 있었소!'
그는 원숭이에게 고마움을 표한다.

그리고 분실물을 가지고 자리를 떠난다.

#4

아무개가 분실물을 찾으러 원숭이에게로 왔다.
원숭이는 그에게 이름을 물었다.
그는 모든 부를 가진 인간이다.

그는 무거운 보따리를 낑낑 끌고 있었다.
그 안에는 온갖 보물, 한정된 유물, 금괴, 동전 따
위가 수도 없이 있었다.
'내가 이걸 끌고 오느라 어찌 힘들었는지! 내 분실
물도 이만큼 무겁소?'

원숭이는 그의 이름이 적힌 상자를 꺼내, 상자 안
을 보여주었다.

그는 실망했다.

'그 정도로 무거울 줄은 몰랐는데. 결국 이 보따리를 버려야 하는구나!'

그는 보따리 안의 보화들을 바다에 전부 버렸다.

그리고 분실물을 가지고 자리를 떠난다.

#5

아무개가 분실물을 찾으러 원숭이에게로 왔다.

원숭이는 그에게 이름을 물었다.

그는 이름이 없는 인간이었다.

'이런 나에게도 상자는 있겠지요.

그대가 나에게 잃어버린 것을 주면, 나는 그대에게

술을 권하리다.'

원숭이는 그의 이름이 적힌 상자를 꺼내, 상자 안

을 보여주었다.

그가 분실물을 안주 삼아 달을 술잔처럼 기울이고,

원숭이는 그를 위해 휘파람을 불었다.

달빛 갈매기

어떠한 갈매기도 영원히 날 수는 없다.

달빛 갈매기는 그렇게 결론지었다.

태양은 날아가는 갈매기를 우롱한다.

우리들의 머리끝에서 날아가니까.

그리고 아득히 먼 곳에 숨어, 그늘진 하늘을 버리고 간다.

갈매기가 그늘을 전부 쪼아먹고 난 다음에야, 제 모습을 다시 드러낸다.

반복.

태양은 날아가는 갈매기를 우롱한다.

도저히 따라잡을 수 없을 만큼 빠르게 날아가니까.

달빛 갈매기는 그가 숨어버리면, 또다시 그늘을 버리고 간다는 것을 안다.

하지만 도로 가져가라고 할 수 없으니, 우리들이 다시 쪼아먹는 수밖에.

또 반복.

태양은 날아가는 갈매기를 우롱한다.

다시 돌아갈 필요 없이 한 방향으로만 냅다 날아가니까.

감당 못 할 그늘의 크기에 우리들은 한숨을 내뱉는다.

무거운 숨에 그늘이 희석될 쯤에서야, 제 모습을 다시 드러낸다.

계속 반복.

그늘에 중독된 갈매기는 더 이상 날 수 없게 된다.

이게 다 태양 때문이다.

우리도 빛을 쪼아먹고 살고 싶어.

달빛 갈매기는 지평선을 향해 날아가기로 했다.

태양은 지평선 아래로 숨으려 도망갔고, 갈매기는 그런 태양을 붙잡기 위해 뒤쫓아갔다.

너가 독차지한 빛을 모조리 빼앗아 갈매기들에게 나누어주겠어.

그럼 영원히 빛과 함께 할 수 있어.

하지만 너는 미친 듯이 앞으로만 향했다.

마치 시간 같았다.

그늘은 달빛 갈매기의 큰 날개를 붙잡는 걸 좋아한다.

큰 날개는 빠른 비행에 방해요소였다.

그래서 자신의 날개를 잘랐다.

달빛 갈매기는 날개가 잘려도 날 수 있다.

사실 그렇게 믿고 있을 뿐이다.

적어도 그늘에 중독되진 않았으니 말이다.

드디어 태양은 갈매기 쪽을 바라보기 시작했다.

그리고선 방향을 꺾어 달빛 갈매기 쪽으로 날아왔다.

그늘은 빛에 잡아먹혔다.

무구한 영광만이 우리를 기다리노라.

태양과 갈매기들 모두에게 들리도록 한껏 크게 외친다.

그러나 둘 중 어느 곳에도 닿지 못했다.

그들과 너무 멀리 떨어져버렸기 때문이다.

이건 불공평해.

난 그늘을 쪼아먹지 않았단 말이야.

태양을 따라잡았는데 왜 더 이상 날 수 없는 거지?

달빛 갈매기의 비행이 멈추자, 태양은 실망한 듯 다시 방향을 꺾었다.

또다시 그늘을 버리고 간다.

달빛 갈매기는 지금 —태양과 갈매기들 사이의 무한한 거리— 중간에 누워 있다.

그늘 속 초승달은 요람이 되어 달빛 갈매기를 위로한다.

화 성

구창준 마약덮밥

배성한 메마른 바다

마약 덮밥

오늘도 전화가 또 온다.

"사장님, 주문되나요?"

예전 같았으면 친절하게 재료가 준비가 아직 안 되었다고 죄송하다고 말했을 텐데, 이제는 그냥 전화도 받지 않는다. 가끔 찾아오는 손님도 있다.

"사장님, 오늘도 안 팔아요? 혹시 장사 언제 시작하세요?"

나는 덮밥집 프랜차이즈를 하는 사장이다. 사업자등록증 상으로는 그렇다. 하지만 사실은 덮밥을 팔지 않는다. 그렇다면 뭘 파냐고? 바로 마약, 더 구체적으로 말하면 대마초이다.

대학교 3학년 때 개강 첫 주차 때 창현이에게 연락

이 왔다.

"야, 진범아, 요새 뭐 하고 사냐, 나랑 사업 하나 할래?"

　창현이는 나의 고등학교 친구다. 창현이는 원래 공부에 큰 관심이 없던 친구였다. 그러다 나랑 친해지고 같이 공부하면서 성적이 많이 올랐었다. 창현이는 그 점에 대해서 언제나 나에게 고마워했다. 고등학교 졸업 이후 창현이는 서울권 대학에 진학했고, 나는 지방 쪽으로 대학을 갔다. 그렇게 자연스럽게 연락이 뜸해졌던 사이다. 그러다 대뜸 연락이 왔다. 창현이가 말한 사업은 대마초였다.

"대마초? 너 술 마셨니? 자다가 봉창 두드리는 소리 하고 있네. 여기가 미국도 아니고 무슨 대마초야?"

　그러나 창현이는 진지했다. 방학 동안 창현이는 동남아로 여행을 다녀왔는데, 카지노에서 김 탄이라는 분을 만났다고 한다. 둘은 금방 친해졌다고 한다. 그럴 만도 하다. 고등학생 때부터 창현이의 친화력은 남

달랐다. 수학여행 때 에버랜드에서 만난 외국인과도 손짓, 발짓으로 친해졌던 창현이라면 예사로운 일이다. 그분도 창현이가 제법 마음에 들었는지 창현이에게 대마 사업을 제안했다는 것이다. 대한민국이 대마 판매는 불법이지만 대마 재배는 가능하기에 대마를 몰래 키울 수 있다는 것이 요지였다. 김 탄은 동남아에서 대마를 판매할 테니, 창현이가 한국에서 대마를 키워 가져다준다면 이윤의 반을 나눠주겠다고 제안한 것이다. 창현이는 언제나 색다른 도전을 추구했고, 큰 돈을 벌고 싶어 했다. 그런데 마침 그런 제안이 온 것이니 창현이가 거절하겠는가? 나는 기가 차서 반문했다.

"그 사업이 어쨌는지는 모르겠는데, 왜 하필 나에게 연락했는데?"

창현이가 다니고 있는 대학교인 서울 근교는 땅값도 비싸고 재배할 만한 공간이 마땅히 없다는 것이다. 마침 내가 진주에 있는 대학교에 재학 중이었다. 창현이 생각에는 진주는 서울에 비하면 시골이었기에 나에게 연락했다는 것이다.

진주에 살고 있던 나에게 장소를 물색하고 시설 관리를 해달라는 것이었다. 내가 대마 재배 및 수확을 해주는 대신 이윤의 60%를 주겠다고 했다. 처음에는 당연히 거절했다. 내가 뭐 하러 이런 불법적인 일에 손을 댄단 말인가? 난 창현이보고도 얼른 이런 지저분한 일에는 손 떼라고 말했었다. 그것이 마지막 사업 얘기였고, 그 제안은 잊고 지냈었다.

그러다 평소에 연락이라곤 없던 여동생에게 전화가 왔다. 아버지께서 최근 들어 배도 아프시고 소화도 잘 못하셔서 병원에 가보셨는데 위암 판정을 받았다는 소식을 듣게 되었다. 불행 중 다행이라면 다행히 위암 초기라서 치료를 받으면 호전될 수도 있다는 것이다.

"엄마가 오빠한테는 굳이 말하지 말라고 하긴 했는데, 그래도 우리 집안 상황 알고 있어야 할 것 같아서 말해. 집에 돈이 좀 부족한가 봐. 아빠 입원 때문에 병원비가 제법 나온 것 같아. 엄마는 지금 대출

알아보고 계셔. 나는 눈치껏 용돈 안 받고 학교 다니는 중이야. 부모님은 내가 잘 챙겨드릴 테니까 오빠는 공부만 해. 다음 주가 오빠 1차 시험이지? 커피 기프티콘 보내줄게. 공부 안 될 때 마시고 파이팅 해. 아, 엄마가 부른다. 끊을게."

전화가 끊겼다. 잠시 멍했다. 현실 감각이 없었다. 자취방에서 슬리퍼를 질질 끌고 나왔다. 시원한 밤공기가 정신을 깨웠다. 나는 무엇을 하고 있었을까. 나는 당시 변리사 시험 준비를 핑계로 휴학하고 자취방에서 시간을 허비하며 부모님의 등골을 빨아먹고 있던 터였다. 한숨조차 나오지 않았다. 처참한 심정이었다. 인생을 완전히 패배한 기분이었다. 이렇게 더 지낼 수는 없다. 무언가 해야 했다. 자취방으로 돌아가 노트북 메모장을 켰다. 현 상황을 냉정하게 적어보았다.

아버지는 입원하고 계시고, 어머니는 대출을 찾고 계신다. 동생은 돈 아끼면서 학교 다니고 있다.

잠시 고민하다가 한 문장을 더 적었다.

나는 쓸모없고 실패한 인간이다.

커서가 깜빡거린다. 더 이상 쓸 말이 없다. 우리 집의 유일한 기대와 희망인 나는 무엇을 하고 있었을까. 적어도 무언가를 해야만 했다. 벌써 시험이 일주일 후라니. 몇 달 전에 사뒀던 문제집을 꺼냈다. 먼지가 쌓인 새 책이었다. 부모님 상황이 더 안 좋아진다면 상상하고 싶지 않았다. 시험은 고사하고 부모님께 현실적인 도움이라도 드려야만 했다. 돈이 필요했다. 그래서 창현이에게 다시 연락했다.

"우리 집 빚 갚을 때까지만 하는 거다. 그 후에는 손 뗄 거야."

"그래, 어렵하겠냐. 이유야 어쨌든 너도 이제 같은 배를 탔어. 같이 한번 잘 해보자. 고등학생 때는 네가 나 도와줬으니 이젠 내가 도와줄게."

그렇게 나는 창현이와 같이 사업을 시작하게 되었다. 구글에 대마 키우는 법이라고 검색만 해도 아주 친절하게 설명된 글이 많다. '실내에 대마초 심는 방

법 : 15 단계', '대마초 집에서 키우는 법', '비밀리에 대마초 재배하는 법' 심지어 유튜브에 '종자 생산용 대마 재배 방법'이라는 영상도 있다. 나와 창현이는 본격적으로 준비를 했다. 대마 재배를 위해 본격적으로 장비를 사들였다. 텐트와 조명 시설, 선풍기와 환풍기, 변압기, 수소이온농도(pH), 동결 건조기, 유압기 등을 준비하면서 식물 재배에 이렇게 다양한 장비가 들어가는 걸 처음 알게 되었다. 그리고 관련 뉴스도 찾아보았다. 대마를 파는 사람들이 어떻게 걸렸는지 뉴스에 친절히 다 나와 있었고, 우리는 뉴스를 반면교사로 삼았다.

하지만 가장 큰 문제는 바로 대마 냄새였다. 대마 특유의 이상하고 불쾌한 냄새는 어떻게 숨길 수가 없었다. 실제로 많은 대마 재배자가 특이한 냄새로 인해 주변 이웃들이 신고해서 걸렸었다. 그래서 고민하던 끝에 아이디어가 떠올랐다. 냄새를 막을 수 없다면 막지 않는다. 더 강한 냄새로 덮는 것이다. 어떤 냄새? 바로 음식 냄새이다.

창현이가 서울에서 괜찮은 프랜차이즈를 찾았고 우리는 그 덮밥 가게를 진주 쪽에 프랜차이즈를 내기로 했다. 사업을 준비하면서 국가에 창업 지원금과 청년 대출금이 이렇게 많은 것을 처음 알게 되었다. 덕분에 청년 창업 및 사업과 관련하여 많은 지원을 받을 수 있었다.

그렇게 하여 나는 장소를 빌려 대마를 키우고, 창현이는 그 대마를 받아 김 탄인지 탄 김인지 하는 작자에게 전달한다. 그러면 김 탄은 현지에서 '타이스틱'이라는 이름으로 그램당 10만 원에서 20만 원까지 판매할 수 있었다. 그뿐만 아니라 창현이는 국내에서도 조금씩 판매를 추진하고 있었다.

그런데 새로운 문제가 생겼다. 새로 생긴 프랜차이즈 가게에 손님이 오기 시작한 것이다. 원래 계획으로는 가게 영업 준비를 핑계로 손님을 돌려보낼 요량이었다. 그러나 손님들이 계속 찾아왔다. 손님을 계속 돌려보낼 수는 없는 노릇이었다. 나는 어쩔 수 없이 손님을 받게 되었다. 창현이가 프랜차이즈 가게를 고르는 안목이 있어서였을까, 아니면 매장 위치가 학교 바로 앞이었기 때문이었을까, 손님들이 계속 찾아왔다. 알바를 쓰고 싶었으나, 대마 때문에 너무 위험했다. 일일 판매 수량 제한을 걸어두었는데 오히려 프리미엄이라는 인식이 붙어 더 사람들이 몰려왔다. 혼자서 가게 영업을 감당하니 어쩔 수 없이 대마를 만들지 못하는 날도 있었다. 식당 영업이 바쁘다 보니 대마가 상태가 좋지 않았다. 창현이는 진주에 내려와 내 행태를 보고 격노했다.

"야, 송진범. 너 지금 장난해? 네가 지금 대마 재배자야 아니면 덮밥집 사장이야, 둘 중 하나만 해. 장난으로 할 거면 지금이라도 때려치우고 썩 꺼져. 난 진심이니까."

정말 고민을 많이 했다. 이렇게 정상적인 방법으로 돈을 벌면 안 될까? 꼭 불법적인 일로 돈을 벌어야 할까? 머릿속으로 계산기를 두드려본 결과, 가게 이윤으로 대출금과 병원비까지 다 갚는 날은 너무 멀었고, 무엇보다 불확실성도 컸다. 결국 나는 창현이의 얘기에 따라 이후에는 개인 사정으로 영업을 쉰다고 붙여두었고 그 안에서 작업을 진행하였다.

다행히 그 이후로 대마 사업은 원만히 잘 흘러갔다. 몇 개월 만에 나는 돈을 제법 모았다. 부모님께 주식으로 돈을 벌었다는 거짓말하고 돈을 보내드렸다. 시험에 떨어진 건 아마 아실 것이다. 1차 결과 발표일 이후에 내가 부모님께 별다른 말씀을 드리지 않았기 때문이다. 다행히 아버지의 치료는 잘 진행되고 있는 것 같았다. 병원비 문제가 해결되어 부모님 부담이 덜어드렸다면 그걸로 된 것이다.

그러던 와중에 김 탄이 나와 창현이를 푸껫으로 초대하였다. 나와 창현이를 직접 만나서 고마움을 표시하고 얘기도 나누고 싶다고 한 것이다. 조금 의심스러웠으나 창현이의 설득에 못 이겨 가게 되었다. 김 탄이 숙소와 비행기 표까지 전액 지불해주었기 때문이다.

"이야~ 대박인데 이거? 이런 고급 호텔까지 예약해

주셨다니. 탄 형님 도대체 얼마나 큰일을 하시는 거지?"

창현이는 벌써 김 탄을 탄 형님이라고 부르면서 친근하게 부르고 있었다. 그러나 나는 김 탄이라는 인물에 대해 아직 확신이 없었다.

"창현아, 나는 사실 걱정돼. 이런 큰일을 하는 사람이 우리 같은 초짜를 왜 쓸까? 오히려 어수룩하니까 이용하려고 하는 거 아니야?"

"에이~ 진범아! 너 우리 탄 형님을 뭐로 보고! 너 내 안목 몰라? 그럴 사람이었으면 여기까지 돈을 쓰면서 초대를 해줬겠냐? 동업자는 끝까지 믿어줘야 하는 거야. "

물론 창현이의 말도 일리는 있었지만, 가슴 한구석에 불안한 느낌은 떨쳐버릴 수가 없었다.

드디어 김 탄과의 첫 대면식이었다.

"반갑습니다! 진범 씨! 창현이한테 얘기 많이 들었습니다."

김 탄의 당찬 목소리와 함께 거대한 손이 악수를 청했다. 언행은 당차고 깔끔했다. 구릿빛 피부, 짧게 깎은 스포츠 스타일의 머리, 팽팽하게 당겨지는 반소매 티와 근육, 가로로 긴 눈. 친절한 미소를 짓고 있었지만, 눈은 웃지 않고 있어 묘한 대비를 이뤘다. 사회적 미소였다. 호탕한 웃음과 친절한 미소 뒤에 어떤 생각을 하고 있을지 알 수 없었다. 마치 뱀을 연상하게 했다. 예사로운 사람은 아닌 것 같았다.

"진범 씨가 재배를 잘 해준 덕분에 여기까지 잘 올 수 있었습니다. 다들 시장하시죠? 여기 치킨 드셔보셨나요? 제가 제일 좋아하는 음식입니다!"

같이 호텔 뷔페에서 점심을 먹으면서 사업 이야기를 나눴다. 나와 창현이는 지금까지 우리가 해왔던 얘기, 가게 사전 조사와 프랜차이즈 얘기, 국가에서 지원하는 사업으로 대출을 받아 돈을 마련한 얘기, 식당에서 환경 꾸렸던 얘기, 사장으로 일했던 내용들, 모든 얘기들을 들려드렸다.

"오 대단하십니다. 완전 사업가신데요? 프랜차이즈

를 보는 안목이 있으시네요. 그리고 장소 선정도 잘 하신 것 같고, 무엇보다 진범 씨께서 국가에서 하는 정책으로 대출을 받은 점은 정말 impressive 하네요. 좋습니다."

그러다 김 탄이 주위를 한번 쓱 보더니 목소리를 낮게 깔고 우리에게 말했다.

"혹시 이 일에 대해서 다른 사람한테 얘기한 적 있으신가요?"

창현이가 대답했다.

"아뇨, 저희 둘만 서로 알고 아무도 모릅니다."

"좋습니다. 아무도 몰라야 할 겁니다. 가족, 연인 그 누구도 아는 순간, 이 사업은 깨지는 겁니다. 저는 여러분과 계속 일을 하고 싶고, 일을 하려면 서로 신뢰를 지켜줘야 합니다. 신뢰가 깨지면 서로 많이 힘들어질 겁니다."

점심 식사 후에 호텔 안에 있는 바다에서 우리는 쉬었다. 창현이가 바다로 수영하러 가자, 김 탄은 나에게 얘기를 꺼냈다.

"진범 씨가 대마 관리를 한다고 정말 고생이 많습니다. 사실 이런 얘기를 하기는 좀 그렇지만 진범 씨는 창현이에 비해 더 받을 필요가 있어요. 창현이가 하는 일이라는 게 저한테 사실 보내주는 것 말고는 크게 없지 않습니까? 국내 거래처를 제대로 구하지 못하고 있다고 들었습니다. 사업 형태를 조금 바꿔볼까 합니다. 진범 씨가 저에게 바로 대마를 보내주시는 형태로요."

나는 이해는 했으나 문득 창현이의 역할이 궁금해졌다.

"음, 그러면 창현이가 하는 일을 제가 다 맡게 된다면 창현이는 어떻게 되는 건가요?"

"창현이에게는 새로운 사업을 맡길 겁니다. 그러면서 마약 일을 자연스럽게 진범 씨가 전담하는 거죠. 쉽게 말해서 '분사'시키는 겁니다. 진범 씨가 할 일은 창현이에게 보내주던 대마를 저한테 바로 보내주시기만 하면 됩니다. 진범 씨가 35%를 받고 있다고 알고 있는데 이제는 50%를 받으실 수 있습니다. 다만 창현이에게 맡길 새로운 사업은 아직 구상 중이기에 창현이에게는 당분간 비밀로 해주시기를 바랍니다. 창현이에게 새로운 일을 맡기려 한다면 마치 창현이가 현재 일을 못 하는 것처럼 비칠까 봐 그렇습니다. 사업을 완벽히 구상한 후에 말씀드릴 테니 창현 씨에게는 비밀로 해주시기를 바랍니다."

나는 알겠다고 했다. 사실 나로서는 전혀 손해 볼 게 없는 거래였다. 김 탄 말대로 나는 내 일을 그대로 하면서 돈을 더 받을 수 있는 것이었다. 그런데 뭐가 이렇게 찜찜할까. 이후에 나도 수영하러 갔는데, 그때는 김 탄과 창현이가 얘기를 하는 것처럼 보였다.

창현이와 나는 숙소에 돌아왔다. 불쑥 창현이가 나에게 김 탄과 무슨 얘기를 했는지 물어봤다. 나는 떨떠름하게 대답했다.

"어, 뭐 별 얘기 안 했는데? 그냥 내 인생사에 관해 물어보시고, 대마 재배 관련한 내용들 좀 얘기하고 그랬어. 너는 김 탄이랑 무슨 얘기 했어?"

"어, 나도 별 얘기 안 했어. 그냥 사업 얘기랑 옛날에 여행했을 때 얘기 정도?"

나는 창현이의 오랜 친구로서 창현이의 습관들을 어느 정도 알고 있다. 그중 하나는 창현이는 거짓말을 할 때 바닥을 보면서 눈썹을 긁는 것이다.

뭔가 느낌이 좋지 않았다. 지금, 이 사업 제안도 의심스럽고, 창현이의 행태도 의심스럽다. 내 머릿속에서는 이성과 본능이 갈등하고 있었다. 내 이성은 별일 아니라고 굳이 캐묻지 말고 넘어가라고, 수상하긴 하지만 그냥 무시하면 더 많은 돈을 벌 수 있다고 말했다. 하지만 내 본능은 창현이와 얘기하라고, 누가 봐도 둘 다 이상한데 네가 지금 믿을 사람은 창현이 뿐이라고 지금 아니면 기회가 없다고 말하고 있었다. 나는 결국 고민하다가 창현이와 얘기를 하기로 결정한다.

"창현아, 김 탄 씨가 너 보고 말하지 말라고 한 이야기인데…"

나는 김 탄과의 약속을 어기고 김 탄이 나에게 해준 사업 얘기들을 창현이에게 들려줬다. 창현이는 잠자코 듣더니 본인도 솔직하게 얘기를 해주었다. 김 탄이 본인에게도 똑같은 제안을 했다고, 마약 사업을 자기가 다 전담하고 나를 다른 사업으로 확장 시킬 얘기를 하는 것이었다. 마찬가지로 나에게도 이 이야기는 비밀로 한 것이었다.

우리는 무언가 잘못되었음을 직감했다. 내 추측건대 김 탄은 더 큰 돈을 구실로 나와 창현이에게 이중 계약을 맺고 우리 둘 사이를 갈라놓으려는 게 아니었을까. 창현이는 본인이 철석같이 믿었던 김 탄에게 이중 계약을 당한 것에 대해 충격에 빠져있었다. 나는 창현이를 다그쳤다. 더 이상 김 탄을 믿을 수가 없다고. 당장 내일이라도 귀국하자고. 그 작자가 우리에게 거짓 계약을 한 걸 보면 이후에 어떤 일을 벌일지 모른다고. 그러자 창현이는 그제야 사건의 심각성을 깨달았다.

그 후 우리는 한국으로 가는 가장 빠른 표를 구해 그날 밤늦게 귀국했다. 김 탄에게는 집에 급한 일이 생겨서 급히 귀국해 봐야 할 것 같다고 하고, 당분간 연락하기 힘들 것 같다는 얘기를 마지막으로 모든 연락 수단을 차단했다.

우리는 귀국하여 경찰에 자백했다. 다행히 스스로 자백한 점과 초범 등의 이유로 집행유예 선고로 사건은 마무리가 되었다. 이후에 혹여나 김 탄이 복수하러 올까 봐 한국 경찰들에게 신변 보호 조치를 요청하였지만, 외국에 있는 김 탄이 국내로 들어온다면 바로 잡힐 것이라고 경찰청은 거절하였다. 경찰도 현지에 요청하겠지만 그의 위치를 정확히 몰라 찾기 쉽지는 않은 것 같다는 얘기를 들었다.

집에서는 부모님께 맞아 죽을 뻔하였다. 그래도 내가 그런 큰일을 겪고 무사히 살아 돌아온 걸 정말 다행이라고 여기시는 것 같았다. 그 후에 나와 창현이는 각자 다시 대학생의 삶을 돌아와 졸업했다. 아버지의 암은 거의 완치가 되었다. 나는 간신히 아버지 지인의 회사에 들어가 일을 하기 시작했다. 마음에 드는 곳은 아니지만 그래도 떳떳하게 받을 수 있는 돈이다.

한 번씩 그런 생각이 든다. 김 탄은 무엇을 하고 있을까? 과연 김 탄은 정말로 사업을 확장할 생각이었을까? 우리를 갈라놓은 후에 그 후에 어떻게 하려고 했을까. 우리 둘을 서로 믿지 않게 하고 갈라놓은 후에 처리하려고 했던 걸까.

아무도 믿지 않아도 상관없다. 하지만 지금까지 적은 내용은 모두 사실이다. 여기까지가 나와 창현이의 경험이다.

작가의 말

학교 근처에 덮밥집이 생겼습니다. 지도에는 영업 중이라고 뜨는데, 아무리 전화를 해봐도 영업하지 않습니다. 직접 가보았는데도 영업 준비 중이라고 거절당했었습니다. 친구에게 장난으로 "야, 여기 마약 파는 거 아냐?"라고 한 게 이 소설의 시작이었습니다. 우연히 1층에는 샐러드 집을 하고 2층에서는 유흥업소를 하다가 적발된 기사를 보았습니다. 그러한 이야기들로 탄생하게 된 작품입니다. 재밌게 봐주신다면 감사하겠습니다.

메마른 바다

0.

달의 하늘은 지구의 하늘과는 다르다. 한낮에도 온통 칠흑같이 검다. 지표면은 밝지만 하늘은 검다. 때문에 해가 떠있는 시간에는 지평선을 기준으로 지면은 낮, 하늘은 밤인 것 같은 착각에 빠져 혼란스러운 감각이 된다. 검은 하늘의 한 지점에는 꼼짝 않는 지구가 있다. 모든 생명의 고향, 물과 산소와 양분이 넘치는 곳. 푸른 행성은 그 활기와 생명력을 뽐내며 달에서 바라보는 사람을 조롱한다. 멀어지면 멀어지는 대로, 다가가면 다가가는 대로 일정한 거리를 유지한다. 늘 거기에 있으나 절대 닿을 수 없는 공간이다.

달의 하루는 약 700시간, 지구에서 한 달의 시간

이다. 달의 공전 주기와 자전 주기가 일치하기 때문이다. 누군가는 이에 더불어 지구에서 바라본 달과 태양의 크기가 똑같다는 것을 들어 우주는 신이 창조한 것이라고 설명한다. 신의 권능으로 설명하는 것이 더 편할 정도로 기막힌 우연이긴 하다만, 그건 우리 인류가 시대를 잘 타고난 탓이 크다. 달은 과거에 지구와 더 가까웠고, 바다와의 상호작용에 의해 서서히 멀어지는 중이다. 공룡시대의 달은 지금보다 몇 배는 더 크게 보였을 것이다. 이런 우연 하나하나를 신의 권능이라고 하는 것은 비약이다. 콘크리트와 철근의 열팽창계수가 같다고 콘크리트를 신이 내려준 건축자재라고 하는 것처럼 말이다. 우연을 예찬하기 위한 비유다. 적어도 신이 있다면, 이 남자를 이 지경으로 몰아가지는 않았겠지.

달 표면을 하염없이 걷는 남자의 머릿속이 엉망진창이 되어버린 것도 이러한 이유다. 먹지도 마시지도 못한지 일주일째. 남자의 우주복에 탑재된 생명유지장치는 잔인할 정도로 유능하다. 인간의 소화기관과 배설기관을 멋대로 헤집어 수분과 유기물의 효율을 극

대화한다. 우주복 경계 내부의 모든 물질이 우주복의 기능이 다할 때까지 순환한다. 자세한 묘사는 독자의 비위를 상하게 할 수 있으니 생략하겠다.

남자가 하염없이 달의 표면을 걷기 시작한 것은 달에 착륙하고 나서 사흘 후였다. 그가 달에 착륙하게 된 계기는 한 달 전으로 돌아간다.

1.

비가 갠 다음날은 축축하면서도, 어딘가 상냥해진 햇살이 구름의 빈틈 사이로 얼굴을 내밀며 오랜만이라는 듯 수줍게 웃는다. 세상을 집어삼키기라도 할 듯 쏟아지던 빗물은 이제 작은 웅덩이가 되어 마지막 한 방울까지 마르기를 기다린다. 습한 공기에 햇빛이 내리쬐어 뜨겁다.

오랜만에 보는 사무실 문이 낯설다. 어색한 감각을 무시하고 열어젖힌다.

"좋은 아침입니다."

복도는 이미 다 마른 우산들로 가득하다. 방금 산 아이스커피의 컵홀더가 축축해졌다. 넥타이를 명치까지 풀어내리고 슬리퍼로 갈아신었다. 찜통같던 구두에서 벗어난 양 발에 찬 기운이 돌아 상쾌하다. 눈은 책상 위의 서류를 보면서 컴퓨터 전원을 켠다. 써야 할 보고서가 한가득이다.

"어~ 김 박사. 휴가 잘 다녀왔나? 오랜만에 바다 보니까 어때? 수영은 했고?"

"오랜만입니다, 임 박사님. 휴가는 무슨 휴갑니까, 바다는 또 무슨 바다고. 저 출장 갔다 온 겁니다."

앞자리의 임 박사가 옆으로 와 이죽거리며 인사를 건넸다. 적당히 대꾸하며 그동안 찍은 사진들을 드라이브에 업로드하기 시작했다.

"왜, 바다 갔다 온 건 맞잖아. 이젠 그쪽 바다가 더 익숙하면서. 얼른 보고서 써서 제출해. 나도 궁금하다."

"쓸 거 엄청 많습니다… 못해도 일주일은 걸려요."

"그럼 사진만 보내주든가."

"알겠습니다. 업로드 끝나면 바로 보내드릴게요. 근데 일 안하십니까?"

샐쭉한 표정으로 돌아가다가 다시 말을 건다.

"기념품 안 가져왔어?"

"아, 좀 가세요."

*

의자가 어색하다. 책상도, 컴퓨터도. 마우스가 이렇게 무거웠나, 하는 생각이 든다. 복귀 후 한 달 간 적응 기간을 가졌지만 아직 감각이 돌아오지 않은 것 같다. 아직 일주일 분량도 쓰지 못했는데 벌써 하루가 갔다. 중요한 과제가 끝났는지 연구실에 남아있는 사람이 없다. 전기도 아낄 겸 자리에 스탠드 하나만 남기고 불을 껐다. 다시금 혼자가 된 기분이다. 한 달 전 그때처럼 말이다. 광활한 황무지에 홀로 남아, 작은 빛 하나에 의지하는 그 기간 동안의 기억이 되살아났다.

나는 지난 2년 간 달에 있었다. 달기지 초기 구축을 위해 한 달에 한 번 간격으로 우주왕복선이 발사

되었다. 수많은 화물이 달에 올랐고, 이내 임시 거주지, 이착륙 플랫폼, 거주지, 산소 발생기와 같은 시설들이 건설되었다. 기반 시설이 완성될수록 화물선의 왕복 빈도는 점차 줄어들었다. 그러나 고정적으로 보급되어야 할 품목들이 있었는데, 바로 식량과 물이었다. 지구의 흙을 가져와 만든 텃밭에서 농사를 시도해보았지만 5명의 인구에겐 간식거리조차 되지 못했다. 게다가 관리에 물과 노동력을 과하게 소모한다는 탓에 운영이 중지되었다. 물은 달 표면에 얼어있는 것을 구해 사용하는 것이 목표였지만, 다량의 얼음을 녹여 물의 순환을 구축하는 것은 많은 시간을 요했기 때문에 당장은 지구에서 가져온 물에 더해 달 표면에서 추출한 산소와 수소 연료를 반응시켜 물을 얻어냈다.

　다른 사람들은 보급품 수송과 관리를 담당했기 때문에, 그 당시 유일한 연구원이었던 나는 연구실에 홀로 남아 있는 일이 잦았다. 달에서는 주로 실내에서 지냈으므로 낮과 밤의 의미가 없었다. 일과 시간에는 혼자 일을 하다가, 저녁 시간이 되면 식사를 하고 휴식을 취했다. 어쩌다 보급선이 오가는 것을 배웅해주는 것이 다른 사람들과의 유일한 교류였다. 시간을 알려주는 지표는 시계에 적힌 숫자뿐이기에 기계적인 일과를 보낸다. 지금이 낮인지 밤인지조차 알 수 없었다.

일지를 다 쓰고 나면 창밖을 구경하며 하루를 마무리한다. 달의 하늘은 지루하기 짝이 없다. 구름이 떠다니지도 않고, 아침저녁으로 색이 변하지도 않고, 날씨 또한 털끝만큼도 변하지 않는다. 저 멀리 보이는 지구를 구경하는 것이 유일한 낙이다. 지구에서 보는 달과 달리 달에서 본 지구는 항상 비슷한 자리에 있다. 밤하늘의 달이 언제나 한쪽 면만 보여주는 것과 같은 원리다. 못난 뒷모습을 숨기는 달과 달리, 지구는 빙글빙글 돌며 자신의 아름다움을 뽐낸다. 매일 다른 옷을 입고 말이다. 지구의 위상에 구름이 더해져 그 모습이 시시각각 변한다. 잠깐 눈을 돌린 사이 완전히 다른 행성인 듯 보이기도 한다. 만에 하나 타이밍이 맞으면 우리 집도 볼 수 있다. 그걸 인지할 수 있는지는 모르겠지만 말이다. 아무튼 시야에 들어오기는 한다는 뜻이다. 머리꼭대기에 항상 내 집이 있어 언제든 볼 수 있다는 사실은, 지금 그곳에서 가장 멀리 떨어져있는 상황과는 반대로 묘하게 안심이 되게 해준다.

컴퓨터를 끄고 일어나려는 순간 무릎이 휘청였다. 몸이 아직 스스로의 중량에 적응하지 못한 것이다. 한동안 지팡이 대신으로 짚고 다니던 우산을 다시 꺼냈다. 연구소에선 보행보조기를 제공해주었지만, 나이 아흔 먹은 노인네처럼 보일까 거절했다. 아무도 볼 사람이 없는 지금은 그것이 무엇보다 간절했다. 기합하듯 한숨을 내뱉고는 비틀거리며 집으로 향했다.

*

아침 햇살에 눈을 떠 기분이 좋았다. 아직 이른 새벽이었지만 해는 이미 세상을 비추고 있었다. 맑은 날을 즐기기 위해 셔틀을 마다하고 걸어서 출근하기로 했다.

문득 바라본 하늘에 구름 한 덩이가 유유히 떠다닌

다. 구름의 실체는 무엇인가? 구름은 물방울의 집합이다. 물방울이 뭉쳐 그 무게가 커지면 결국 비가 되어 내린다. 기온이 낮다면 얼어붙어 눈이 되어 내린다. 물은 그렇게 순환한다. 액체에서 기체로. 다시 액체로, 또는 고체로. 제멋대로 하늘과 바다를 누비며 말이다. 끓는점과 녹는점을 잘 타고난 탓이다.

나는 평생 고체로만 살아야 할 테다. 내 육체가 녹거나 풀어질 일은 없을 테니 말이다. 유체가 되는 것은 어떤 감각일까. 내가 나로 있을 수 없는, 정해진 형태 없이 흘러가는 것은 어떤 느낌일까. 나를 정의하는 것은 형상일까. 몸이 흘러가더라도 정신이 굳으면 그것은 나일까. 몸이 굳더라도 정신이 굳세지 못하면 흘러버리는 것일까.

생각에 잠겨 걷다 보니 어느새 연구소 앞이다. 문고리를 잡은 순간 안에서 격양된 목소리가 들려왔다. 순간 손에 힘을 주고 소리가 나지 않도록 문을 열었다.

"좋은 아침입니…"

"마침 왔네. 김 박사, 지금 바로 짐 싸. 다음 주에 달 한 번 더 간다."

연구소장님이었다.

"네? 저 돌아온 지 아직 한 달 밖에…"

"시설에 문제 생겼어. 러시아 놈들이 또 산소발생기 잘못 건드렸나봐. 가능한 빨리 고쳐야 된다는데, 지금 당장 갈 수 있는 기술자가 너밖에 없어. 적응기간 끝났잖아?"

"소장님, 원래 우주 한 번 갔다 오면 적어도 세 달은 쉬는 거 아시지 않습니까. 안 그래도 여기도 인력난이라고 해서 조기복귀 했는데, 달까지 다시 가라는 건 너무하지 않습니까?"

"맞습니다. 아직 제 몸 하나 못 가누는 사람한테 너무 무리한 일 시키시는 거예요."

임 박사가 내 편을 들어주었다. 평소에는 짓궂지만 이럴 때는 잘 챙겨주는 탓에 미워할 수가 없다.

"어차피 러시아인들이 망가트렸다면서요? 그럼 그쪽에서 해결해야 되는 것 아닙니까? 대충 설계도랑 매뉴얼 던져주고 알아서 하라고 하시지요."

"나도 김 박사 힘든 거 알지. 근데 이 산소발생기 미국이랑 협업한 거잖아, 그래서 그쪽에서는 기밀 취급이라고 넘겨주지 말래. 무슨 냉전시대도 아니고… 아직도 기술 가지고 편 가르기하고 지랄들이야, 지랄은."

우주개발의 재개는 과거 냉전시대의 경쟁심에 또한 번 불을 붙였다. '최초'라는 타이틀에 목숨을 건 듯했다. 첫 우주비행, 첫 달 착륙에 더불어 첫 달 기지 건설, 첫 달 표면 일주, 첫 달 축구 경기, 첫 첫 첫. 참고로 우리나라는 첫 달 교통사고라는 불명예스런 기록이 있다. 그게 로버를 타고 너무 신난 내가 저지른 일이라는 것은 공공연한 놀림감이 되었다.

"아무튼 한 번만 더 갔다와줘, 김 박사. 가는 김에 우리 프로젝트 진척도도 다시 확인해보고. 이번에는 얼마 안 걸릴 거야. 길어야 한 달? 2년도 살다 왔는데 한 달이면 금방이지."

"소장님, 그게 말처럼 쉬운 일이 아니지 않습니까. 왕복선 한 번 안 타보셨으면서…"

"알았어, 갔다 오면 연봉 인상 고려해볼게. 보너스도 왕창 넣어주고. 그리고 휴가도 3개월 꽉 챙겨 주마."

"그건 당연한 거죠, 뭘 생색을 내십니까?"

"그런가? 아 그리고 이건 그냥 참고사항인데…"

소장님이 내 쪽으로 몸을 기울여 작은 목소리로 말했다.

"이번 작전 사령관, 저번에 너가 말한 강 소령이야."

"출발이 언제라고 하셨죠?"

2.

"아, 김 박사님! 오랜만입니다."

공군 군복을 입은 사람이 다가와 손을 내밀었다.
왕복선 조종사를 담당한 공군 강 소령이었다.

"오… 오랜만입니다, 소령님."

어색한 대답과 함께 손을 잡았다. 강소령은 첫 달
탐사 왕복선 실험비행에서 만난 사람이었다. 그 당시
에는 대위였고, 실험이 성공적으로 마무리되며 소령으
로 진급했다고 들었다. 당시 아직 우리나라가 본격적
으로 우주개발에 뛰어들기 전이었기 때문에 시설에
한국인은 나와 그녀를 포함하여 5명 정도였고, 같은
프로젝트에 참여하며 자연스럽게 친해지게 되었다. 우
리는 반 년간 함께 지내다가 내가 새로운 작전에 배
정되며 헤어지게 되었다. 이후 내가 달에 체류하는 동
안 그녀는 지구에서 실험비행을 계속하며 실력을 키

웠고, 이제 자격을 갖춰 실제 작전에 참가하게 된 것이다.

내 표정을 본 임 박사가 이죽거리며 팔꿈치로 툭툭 건드렸다.

"김 박사, 아주그냥, 어? 표정이 그냥, 어? 그렇게 좋아?"

"조용히 하십쇼, 좋긴 뭐가 좋습니까."

혹여 누가 들을까 황급히 입을 막았다. 그럼에도 얼굴에 드러난 미소를 숨기기는 어려웠다.

"난 우리 김 박사 힘들까봐 안 보내려고 열심히 커버 쳐줬는데, 이렇게 가고싶어 하는 줄은 몰랐네. 서운하네, 아주."

"가기 싫은 거 맞습니다. 커버 쳐주신 건 감사한데, 그래도 가라는데 뭐 어떡합니까. 까라면 까야죠."

"아닌데? 좋아 죽는 것 같은데? 아무튼 뭐, 잘 다녀오고. 몸조리 잘 하고. 이번에는 선물 까먹으면 안 된다?"

"예, 감사합니다. 들어가십쇼."

멀어지는 임 박사가 손을 흔들었다. 그놈의 선물, 뭘 가져가야 좋아하련지. 달에는 돌 밖에 없는데 말이다. 월석이라도 하나 빼돌려야 하나?

"저 분이 임 박사님이세요? 두 분 엄청 친해보이시네요."

강 소령이 옆으로 와 같이 걸었다. 긴장되어 발걸음이 꼬이는 것 같았다.

"아, 네. 제 사수이신데, 처음부터 많이 챙겨주신 좋은 분이에요."

"그러게요, 저는 둘이 무슨 부부인 줄 알았어요."

"부부는 무슨 부부예요, 징그럽게."

"금슬 좋아 보이시던데요? 한 10년은 같이 산 것 같아요, 하하."

그런 말을 하며 그녀는 밝게 웃었다. 그 표정을 보니 나역시 다시금 웃음이 피어올랐다.

"소령님은 이번에 며칠 체류하십니까?"

"저는 달 착륙까지 하고 사흘 후 다시 게이트웨이로 올라갑니다. 2주정도 궤도 돌면서 작전 수행할 것 같아요. 박사님은요?"

"저는 일주일 예상하고 있습니다. 사소한 문제라서 금방 해결될 것 같아요."

"그래요? 같이 귀환 못 하는 건 좀 아쉽네요. 그래도 이번에 무리해서 가는 거라고 하시니 일찍 돌아와야겠죠."

같이 못 와서 아쉽다니, 예의상 한 빈말일까, 진심일까. 괜한 잡념이 끼어들었다.

"그럼 내일 뵙겠습니다. 쉬세요!"

"아, 넵. 들어가세요."

강 소령과 헤어져 숙소로 돌아왔다. 챙겨야 할 물건과 작전 스케줄을 다시 확인했다. 이미 한 번 겪어본 일이지만 작전 전날의 떨림은 여전했다. 오늘도 잠들기 어려울 것 같다.

*

목적지는 '증기의 바다'이다. 달의 바다를 방아 찧는 토끼에 비유하면 증기의 바다는 토끼의 목에 해당한다. 적당한 넓이, 지구에서 관측 가능 여부, 기존 기지와의 거리 등 종합적인 요소를 고려하여 첫 바다 프로젝트의 대상으로 선정되었다. 증기의 바다 옆 암스트롱 기지의 산소발생기 시설을 고치는 것이 이번 임무이다. 겸사겸사 수증기 액화기기 조립까지 마치고 오기로 했다. 저번 체류에서 미처 끝내지 못해 찜찜하던 참이었다. 이번 왕복을 끝으로 몇 년간은 가지 않기를 바라는 마음도 있었다.

이번 승무원은 총 5명이다. 사령관이자 조종사 강

소령, 우주선 엔지니어 바나 박사, 천문학자 블랑톤 박사, 보급담당관 스미노프 상사, 그리고 기술 담당관을 맡은 나. 아르테미스 계획 초기만 해도 우주선 전체를 수직으로 발사하는 구식 방법이 사용됐지만, 지금은 궤도 엘리베이터에 탑승하여 중력권을 벗어난 뒤 고궤도 플랫폼에서 수평 비행을 시작한다. 우주로 나가는 비용은 대폭 감소한 것은 반(反)중력 장치의 개발 덕분이었다. 초전도체의 전자기력장 원리를 응용한 이 장치는 주변의 중력장을 조절할 수 있다. 이 기술은 곧 수많은 분야에 응용되었고, 가장 빛을 발한 분야가 바로 우주 개척 분야였다. 궤도 내 운항의 난이도가 급락했기 때문이다. 우주개발의 가장 큰 문제점이었던 추진체 문제가 해결되자, 우주선과 궤도 구조물은 기하급수적으로 증가했다.

화물을 싣고 엘리베이터 입구로 향했다. 승강장에는 강 소령과 바나 박사가 대기하고 있었다. 바나 박사가 미소를 띤 표정으로 손인사를 건넸다.

"Good afternoon, Dr. Kim"

"앗.. 어… 굿 애프터눈, 닥터 바나."

서둘러 휴대용 번역기를 귀에 끼웠다. 영어를 20년 넘게 공부했지만 영 익숙해지지가 않는다. 바나 박사의 말이 한국어로 번역되어 들려왔다.

"달에 다녀오신 지 얼마나 됐다고 또 가세요? 뭐 두고 오셨습니까?"

"아뇨, 인프라 기기가 고장 났다고 해서 고치러 갑니다. 거 왜 아시잖아요, 러시아인들이…"

"아, 들었습니다. 고생이 많으시군요."

"바나 박사님은?"

"저는 따로 맡은 건 없고, 김 박사님이랑 다른 승무원 수행원 비슷하게 갑니다. 저번 로버 사고 이후로 운전은 저만 하라고 지침이 내려와서요."

그 말을 하며 나를 보고 입꼬리를 살짝 올렸다.

"아 그때 그… 죄송합니다."

"아닙니다. 덕분에 중대한 결함을 찾을 수 있었거
든요. 한국어로 전화위복이라 하나요? 아무튼 간 김에
운행 데이터도 더 뽑으려구요. 이번에 달 대기압이 바
뀌어서 추가 연구가 필요하던 참이었습니다. 그리고
새로운 기체도 있구요."

"그럼 연구하러 가는 게 맞잖아요."

"그런가요?"

바나 박사와는 항상 시답잖은 얘기를 하게 된다.
강 소령을 제외하고 유일한 동년배라서 그런 것일까,
아니면 그의 은근한 친화력 때문일까. 로버 운전사인
그의 특성상 둘만 있을 시간이 많다. 그럴 때마다 조
금씩 대화를 나누었는데, 어느새 자잘한 일상 대화를
할 만큼의 친밀감이 생겼다. 그는 신기하게도 둘만 있
을 때는 말이 많았으나 여럿이 있을 때는 침묵을 지
켰다. 버스에서 블랑톤 박사와 스미노프 상사가 내리
자 다시 입을 다물었다. 강 소령이 인사를 건넸다.

"안녕하십니까. 블랑톤 박사님, 스미노프 상사님."

"네? 아 네, 잠시 번역기 좀…"

번역기가 없으면 곤란한 것은 피차일반이었다.

"됐다. 안녕하십니까, 강 소령님. 곧 출발하십니까?"

"네. 작전 시간보다 조금 이르긴 하지만, 다들 도착하셨으니 먼저 플랫폼으로 가지요. 오늘 다른 수송 계획도 없으니, 준비만 끝나면 바로 탑승할 수 있을 겁니다."

"그렇군요. 아, 반갑습니다, 김 박사님, 바나 박사님. 이번에는 무슨 일로 가시는지?"

"안녕하세요, 블랑톤 박사님. 저는 산소발생기 고치러 가고, 바나 박사는 새 로버 운행 데이터 쌓으러 갑니다.

승강장에 모이면 서로의 임무를 물어보는 것으로 대화가 시작된다. 자세한 임무 내용은 그때 알게 된다. 승무원 각자가 비용을 아끼기 위해 필요할 때만 함께 우주로 오르는, 서로 다른 국가의 다른 팀 소속인 사이이기 때문이다. 같은 버스를 자주 타서 안면은 텄지만, 동료라고 할 수는 없는 정도의 사이랄까? 보고서는 미리 주어지지만 잘 읽지 않는다. 표면적인 내용만 공개되어 있으며 본업은 극비사항으로 가려져 있기 때문이다. 사실상 본인의 임무를 처음부터 공개하는 인원은 왕복선 조종사뿐이다. 대부분 조종사는 추가 임무를 받지 않는다. 하지만 현장에 모이면 자연스럽게 일 이야기가 나오게 된다. 좋든 싫든 임무 기간 동안 붙어있어야 할 사람들이기 때문에, 어색한 사이가 되면 그만큼 더 힘들어진다.

"블랑톤 박사님은 어떤 용무이신지?"

"아, 저는 이번 태양풍 영향 조사차 갑니다. 기지 측에 자기장 변동이나 전자기기 피해 등 조사할 것이 아주 많더군요. 추후 태양풍을 대비한 매뉴얼을 구축하려는 것 같습니다."

"그렇군요. 스미노프 상사님은 언제나처럼의 보급품 수송인가요?"

"맞습니다. 저 같은 군인이야 뭐, 현상 유지가 업무의 1순위니까요. 식량이나 산소 필요량을 파악해야

하는데, 워낙 인원수가 자주 바뀌어서 골치가 아픕니
다."

"혹시 남는 위문품 있으면 좀 빼돌려 주십쇼, 하
하."

스미노프 상사는 멋쩍은 웃음으로 대답을 대신했다.
농담이었는데 분위기가 어색해졌다. 다들 대화를 이어
갈 말을 생각해내려고 힘쓰는 것 같았다.

"궤도 엘리베이터 탑승 준비 완료"

AI 음성이 침묵을 깼다. 강 소령이 어서 오라고 손
짓했다. 우리 5명은 그대로 궤도 엘리베이터에 탑승
했다. 궤도 엘리베이터는 시속 200km의 속도로 상승
하며, 약 일주일에 걸쳐 고도 35,000km에 위치한 정
지궤도의 정거장까지 오른다. 정지궤도의 정거장은 지
구의 자전 각속도에 맞추어 지구를 공전한다. 따라서
지구에서 바라봤을 때 언제나 하늘의 같은 위치에 고
정되어 있다. 달의 자전 주기와 공전 주기가 같아 달

에서 바라본 지구는 항상 같은 위치에 있는 것과 같은 원리이다. 따라서 지평좌표계 기준으로 위치가 '고정된' 상태이기 때문에 궤도 엘리베이터와 정거장을 설치하기 용이하다. 궤도 엘리베이터는 진공 튜브 안에서 작동하며, 역시 반중력 추진기를 탑재하고 있다. 이 때문에 궤도 엘리베이터는 종단속도 없이 말 그대로 하늘로 '떨어지는' 셈이 된다. 정밀하게 계산된 중력 장치 출력으로 엘리베이터의 가속을 조절하여 정거장에 정지할 수 있도록 한다. 정거장에서는 달에서 사용할 생활 장비를 챙기고 왕복선에 탑승한다. 그 뒤 사흘간 왕복선을 타고 달 궤도의 간이 정류장인 루나 게이트웨이까지 이동하고, 루나 게이트웨이에서 착륙선으로 갈아타 표면에 착지하게 된다. 지구에서 달까지 가는 데만 꼬박 4일이 걸리는 셈이다. 2년 전 왕복선만 해도 느린데다가 굉장히 비좁아 사흘간 찌그러진 상태로 있어야 했지만, 달에 있는 시간 동안 매우 빠른 발전이 이루어져 이제는 웬만한 캠핑카 부럽지 않을 정도로 시설이 호화로워졌다. 간단한 세면 시설과 개인 챔버가 갖추어져 있고, 활동 공간은 인공

중력이 구현되어 있다. 천장이 좀 낮은 것이 흠이긴 하지만 3일간 불편한 일은 없을 것이다.

"세상 참 좋아졌군. 그렇지 않습니까, 블랑톤 박사?"

"그러게 말입니다. 저 처음 우주비행 나갈 때만 해도, 시설이 이렇게 좋지만은 않았거든요. 좁아터진 왕복선에서 구겨져 며칠을 버텼어야 했는데, 이 정도면 5성급 호텔 못지않네요."

스미노프 상사와 블랑톤 박사가 대화의 물꼬를 텄다. 둘은 특히나 오랜 시간 우주탐사에 몸담은 사람들이니 더욱 감회가 새로울 것이었다.

"궤도 엘리베이터는 처음이십니까?"

"아, 초기형은 타봤지만, 그땐 시험 비행이라 열권까지만 올라가고 말았거든요. 그 뒤로는 계속 우주정거장에만 있었다가 작년에 지구로 복귀했고요. 그래서 엘리베이터로 준궤도까지 나가보는 것은 처음입니다."

"그렇군요. 저번 작전에서는 어떤 일을 하셨는지?"

"뻔한 일이죠. 물류 담당, 보급 담당… 여기도 다국가 연합 기지다 보니 눈치 싸움이 만만치 않습니다. 거의 냉전 시대 같아요. 싸우면 다 같이 죽자는 의미라 다들 어찌어찌 참고 있긴 하지만요. 보급선을 늘리든 잔류 인원을 줄이든 해야 할 것 같습니다."

"달 기지에도 좀 여유가 생긴 줄 알았더니, 아직 많이 부족한 상황이었군요. 그래도 지금 대기 조성만 완료되면 어느 정도 자급자족도 가능하지 않겠습니까?"

"그러기를 바라야죠. 흙이랑 비료는 잔뜩 쌓아놨는데, 써먹질 못하고 있으니 원… 대기 완성은 언제쯤 된답니까?"

"지금 계속 산소발생기를 돌리고 있긴 한데, 생각보다 쉽지 않네요. 그래도 중력 장치 반경 500m 이내는 1기압 달성에 성공했습니다. 기압 그래디언트가 너무 큰 게 탈이긴 하지만요. 그 외 지역도 조금씩 대기가 차고 있긴 한데, 산소가 없어서 호흡은 불가능해요. 아르곤이 90%, 나머지는 수소, 헬륨 등입니다."

"그럼 중력권 이내에서는 맨몸으로 버틸 수 있을까

요? 호흡만 해결된다면요."

"반경 안에서는 가능하죠. 하지만 기지에서 멀어질수록 기압이 기하급수적으로 떨어집니다. 700m만 나가도 ⅓ atm으로 내려가요. 비유하자면, 에베레스트 중턱 정도라고 해두죠. 더럽게 춥고 욱신거리겠지만, 산소마스크만 있다면 맨몸으로 나갈 수는 있을 겁니다. 하지만 더 밖으로 나간다면… 생존을 장담할 수 없겠네요."

3.

몸이 가벼워지더니 바닥이 발끝에서 멀어진다. 지구 중력권을 벗어나는 동시에, 궤도 엘리베이터가 감속하고 있다는 뜻이다.

"준궤도 진입 중."

엘리베이터에서 낭랑한 목소리가 울려 퍼진다. 궤도 엘리베이터에까지 안내 음성을 넣을 생각을 한 사람은 도대체 누굴까? 필시 SF 영화를 많이 본 사람일 테다.

"정거장 도착. 모두 하차하시기 바랍니다."

정거장은 거대한 반구형으로 이루어져 있다. 구의 중심에는 중력 장치가 있고, 가장자리에 우주선의 가속장치가 위치한다. 초기형 정거장은 원심력을 형성하기 위해 빠른 속도로 회전하여 궤도 엘리베이터 도킹에 어려움이 있었으나, 중력 장치가 개발된 이후로는 회전하지 않게 되었다. 원판형이었던 형태가 반구형으로 바뀐 것도 같은 이유였다.

"김 박사님, 이 엘리베이터는 지상층이랑 정거장 층밖에 없잖아요, 그러면 여기가 2층인 셈이네요?"

강 소령은 가끔 이렇게 뜬금없는 질문을 한다. 그러나 그 질문들에 내가 제대로 답한 적은 많이 없었다.

"그…런가요? 2층이라기엔 너무 높은데."
"하긴, 높이만 따지면 몇 천만 층은 돼야겠죠?"
"그렇죠. 아니 애초에, 층을 따질 수가 있는 엘리베이터인가요? 이게?"
"층이 없는 엘리베이터가 어디 있어요?"
"여기… 있죠."

내뱉어놓고는 너무 재미없게 대답한 것은 아닐까

걱정이 들었다. 그러나 강 소령이 풋 하고 웃자 걱정은 금방 사라졌다.

"빨리 준비하고 오세요. 달까지는 한참 걸리니까 시간 때울 것들 챙기시고. 아, 간식도요! 인당 제한이 있는데, 제 것까지 좀 받아주실래요? 난 운행 끝나고 나면 당이 그렇게 땡기더라."

"네, 이따 봐요."

달 표면에서 쓸 공구와 식량을 챙겼다. 강 소령이 좋아하는 버터 쿠키는 조금 더 챙겼다. 옆에 바나 박사가 조용히 다가와 섰다.

"둘이 무슨 사이예요?"

"네?"

"김 박사님이랑, 강 소령님. 둘이. 뭐에요?"

"아니, 그런 거 아니에요. 그냥 둘만 한국인이니까, 편해서 그런 거죠. 편해서."

"김 박사님 표정 보면 아니던데? 아까 스미노프 상

사님이랑 블랑톤 박사님도 그런 얘기 하던데요. 둘이
언제 결혼했냐고."

"아니요, 결혼은 무슨… 저희 아무 사이 아닙니다.
혹시라도 강 소령한테 그런 얘기 하지 마세요. 되게
싫어하실걸요?"

"네? 이미 저기 스미노프 상사님이 물어보러 갔는
데요."

기절할 듯 놀라 돌아보자 강 소령과 스미노프 상사
가 이야기를 나누고 있었다. 그러다가 서로 웃음을 터
뜨리더니 경례를 나누고는 멀어졌다.

"이런…"

"김 박사님, 걱정 마세요. 제가 봤을 땐 둘이 충분
히 가능성 있습니다."

"바나 박사님, 지금까지 연애 몇 번 해보셨어요?"

"…"

바나 박사는 말없이 물러나 자리로 가 앉았다. 짜

증나서 던진 말이었는데 괜히 상처준 것이 아닌가 싶었다. 하지만 임무 중인 상황에서 시덥잖은 얘기로 분위기를 흐릴 수도 없는 노릇이었다. 바나 박사를 위해 버터쿠키를 하나 더 챙겼다.

*

왕복선에서의 3일은 쏜살같이 흘러갔다. 지구의 본부로부터 지속적으로 데이터를 받아 수정했고, 쉴 새 없이 시간 단위의 상황 보고를 해야 했기 때문이다. 지금 탑승한 왕복선이 초기 모델이라 운행 데이터를 수집하기 위함이었다. 특히 운항을 담당한 강 소령과 선체 유지보수를 맡은 바나 박사는 더 바빴다. 나와 블랑톤 박사, 그리고 스미노프 상사는 둘을 보조하는 데 온 시간을 할애했다.

3일 차가 되고 달 궤도에 진입하자 조종석 유리창 시야는 회색 달 표면으로 가득찼다. 그리고 그 한가운데 작은 점이 보였다. 그것은 시간이 지날수록 점점 커지며 형태를 갖췄다, 궤도 진입 12시간이 지나자 루나 게이트웨이는 그 온전한 모습을 보였다. 통신기에서는 쉴 새 없이 지시사항이 쏟아져 나왔다. 도킹 시퀀스를 가동하자 왕복선 윗부분이 열리며 도킹 포트가 드러났다.

"랑데부까지 3초, 2초, 1초…"

게이트웨이와 왕복선의 상대속도가 0이 되자, 게이트웨이의 도킹부에서 결합부가 나와 왕복선을 단단히 고정했다. 작은 진동과 함께 도킹이 완료되었다. 감압 과정을 거친 뒤 문이 열렸다. 좁은 통로를 따라 게이트웨이로 이동할 수 있었다. 도킹부에서부터 이동하는 동안 복도는 점점 넓어져, 마침내 중심부에 다다랐을 때 게이트웨이의 본모습을 볼 수 있었다.

"아니, 식당 모듈이 새로 생겼네."

"그러게요, 그 몇 개월 동안 모듈이 몇 번이나 바뀐 건지. 이젠 게이트웨이 자체도 증축을 해야겠는데요."

블랑톤 박사가 주변을 둘러보며 말했다. 나도 똑같이 두리번거리며 대답할 수밖에 없었다. 게이트웨이의 시설은 내가 거주하는 동안에도 꾸준히 증축되어 왔으며, 지구로 귀환했던 한 달 반 만에 3개의 모듈이 추가되어 있었다. 게이트웨이는 필요에 따른 모듈을 따로 건설하고 도킹하는 방식으로 이루어져, 이론상 한계 없는 증축을 할 수 있는 구조였다. 마치 레고 블록처럼 말이다. 초기에는 왕복선과 착륙선을 갈아타는 간이 정류장 같은 느낌이었으나, 이제는 하나의 거대한 우주 복합 상가와 같은 느낌이었다. 거주 인원이 많아져 중앙 홀이 왁자지껄했다.

"나 이거 하나만 먹고 가면 안 돼요? 5분이면 되는데."

"블랑톤 박사님, 제가 미리 간식 챙겨두라고 했잖아요. 지금도 늦었어요. 달 기지 가서 드세요."

"네…"

대답하는 박사의 눈은 아직 식당 모듈에 고정되어 있었다. 우리는 왕복선에서 나오는 발걸음 그대로 착륙선으로 향해야 했다. 게이트웨이의 궤도가 달의 근일점에 가까웠기 때문이다. 몇 시간 남짓의 이 시기를 놓치면 꼼짝없이 일주일간 달 궤도를 돌아야 했다. 늘어난 작전 시간에 대한 시말서 작성은 덤이다.

"일정이 왜 이리 빡빡해요? 원래는 반나절 쉬고 착륙했던 것 같은데."

"이번 일정이 급조된 일정이라 그래요. 당장 고쳐야 하는 기계가 있는데 김 박사님 혼자만 보낼 수는 없고, 가는 김에 간단한 작전 몇 개 얹어서 가는 거죠."

블랑톤 박사가 툴툴대자 바나 박사가 조곤조곤 블랑톤 박사를 달랬다.

"그러고 보니, 블랑톤 박사님은 이번에 무슨 작전으로 오신 겁니까?"

"저는 초신성 관측 때문에 갑니다. 마젤란 은하에서 초신성 폭발이 예정되어 있는데, 지구에서 관측하려니 목성에 가려 관측이 어렵다는 계산이 나와서요. 지구가 안되면 뭐, 달밖에 없죠."

"오, 맨눈으로도 보이려나요?"

"겉보기등급이 −2등급은 될 거니까, 다른 별들보다는 조금 더 밝게 보일 겁니다. 지난달에 관측소도 완공되었다고 하니, 저는 거기서 볼 거구요. 바나 박사님도 여유 있을 때 와서 보시렵니까?"

"저야 두말하면 잔소리죠. 블랑톤 박사님 좋아하시는 부식 잔뜩 들고 가겠습니다, 헤헤."

바나 박사가 좌석 벨트를 차며 능글맞게 웃었다. 크루즈선 안부러웠던(?) 왕복선과는 달리, 착륙선은 예전 모습에서 크게 달라지지 않았다. 다행인 점은 우주복이 매우 경량화되어, 그 줄어든 부피만큼 여유가 생겼다는 점이다. 이제는 최소한 자리에서 스트레칭이라도 할 수 있는 정도였다. 중형 SUV에 5명이 들어차 있는 정도의 여유였다.

루나 게이트웨이가 궤도를 돌고 있기 때문, 착륙선의 자유낙하 궤도는 지면과 수직하지 않은 사선이었다. 따라서 착륙선의 수평을 맞추며 동시에 감속하는 과정이 필요했다. 컴퓨터가 계산을 보조해주기는 하지만, 모든 지구-달 운항 과정에서 조종사의 역량이 가장 돋보이는 구간이었다. 이 과정에서 사고가 발생하여 착륙선이 손상되기라도 하면 꼼짝없이 달에 조난되는 것이기 때문이다.

"역추진 로켓 가동, 착륙 좌표 및 속도 벡터 수치 계산 바람."

"독수리, 좌표값 3, 3에서 3, 4로 수정, 벡터 0, 5, 0으로 양호함."

착륙 과정 동안 강 소령은 눈 하나 깜짝하지 않았다. 연습 때마다 여러 번 성공한 일이었지만 매 순간 긴장되는 시간이라고 이야기한 적이 있었다. 기지와 도킹하려면 착륙 플랫폼에 정확한 위치와 정확한 각도로 착륙해야 했다. 다른 승무원들 역시 숨소리 하나 내지 않았다. 미약한 충격이 일어난 후 착륙선은 움직임을 멈췄다. 강 소령은 그제야 참은 숨을 내쉬었다.

"휴스턴, 여기는 암스트롱 기지. 독수리는 착륙했다."

"알겠다, 독수리. 착륙 좌표 이상 없음 확인. 엔진 종료하고 기지와 도킹하라."

창밖으로 기지가 보였다. 검은 우주를 배경으로 흰 건물이 태양빛을 받아 반짝거리고 있었다. 인류 중 처음으로 달 표면에 발을 내딛은 닐 암스트롱의 이름을 따온 기지였다. 기지 지붕에는 프로젝트에 참여한 각 국가의 국기가 빳빳하게 꽂혀있었다. 기지의 게이트가 연장되어 착륙선 플랫폼과 이어졌다. 감압 과정을 거친 후 착륙선에서 내릴 수 있었다. 기지는 아무도 없이 텅 비어있었다. 태양풍 경고로 대피 명령이 떨어졌기 때문이라고 들었다. 내가 떠나고 얼마 지나지 않은 시점이었다. 그때까지만 해도 모든 시스템이 정상이었는데, 그 짧은 시간 사이에 사고가 나고 만 것이다. 피해가 크지 않기를 속으로 간절히 기도할 수밖에 없었다. 땅이 꺼져라 한숨을 쉬는데 누군가 옆에서 말을 걸어왔다.

"오늘 착륙 어땠나요? 나름 신경 좀 썼는데."

강 소령이었다. 착륙에 관해 물으며 옆으로 다가와 나란히 걸었다. 착륙 때 박수를 받아서 그런지 표정에서 뿌듯함이 묻어나는 것 같았다.

"소령님 조종 솜씨야 뭐, 너무 편안해서 착륙하는 줄도 몰랐습니다. 하하."
"그런가요? 연습 많이 한 보람이 있네요."
"능숙하시던데요. 이번이 몇 번째 작전이시죠?"
"부조종사로는 3번 참가해봤고, 단독은 지금이 2번째입니다."
"겨우 2번째라고요? 소령님, 이 정도면 천재 수준 아닙니까?"
"아이, 천재까지야…"

강 소령은 감정을 잘 감추지 못했다. 헤실헤실 웃는 모습에 나 역시 기분이 좋아졌다. 조금 전까지 머리를 가득 채우던 걱정거리가 한순간 날아 가버린 느낌이었다. 기지로 이어지는 통로를 걷는 동안 창밖으로는 건설 중인 궤도 엘리베이터가 보였다. 달에서 루나 게이트웨이를 이어주는 엘리베이터였다. 저것이 완공되는 순간 더 이상 지표면에서 이륙과 착륙이라는 개념이 사라지게 되는 것이다.

"아, 엘리베이터…"

"아직 완공되려면 반년 정도 남았다는데요. 그때까지는 소령님이 고생 좀 해주셔야겠습니다, 하하."

"그러게요. 이착륙 연습이 제일 힘들었는데, 그것도 이제는 할 일이 없어지겠네요."

"아니, 그건…"

강 소령이 궤도 엘리베이터를 바라보는 표정은 착잡해 보였다. 수송 기술이 발달할수록 조종사는 설 자리를 잃었다. 하지만 자동항법장치가 발명된 지 100년이 다 되어가는 지금도 여객기에는 파일럿이 둘이나 탑승하는 마당에, 우주선 조종사가 기계로 대체될 일은 없을 것이다. 그 사실을 위로로 전하려 했지만,

강 소령은 착륙선 상태 확인을 위해 돌아가야 했다.

　"김 박사님도 이제 일하러 가셔야죠? 일정이 어떻게 되시나요?"

　"네, 사실 산소발생기만 고치면 할 일이 없긴 해요. 상태가 심각하면 3~4일 정도, 아니면 몇 시간 만에 끝날 겁니다. 강 소령님은 귀환까지 별일 없으시죠?"

　"네, 저는 미리 일지 좀 작성하고 쉬려고요. 게이트웨이 올라갈 때까지 3일 정도 남았으니, 그때까지 산책이나 하고 놀고 그러죠, 뭐."

4.

문제의 산소발생기를 확인하러 챔버로 향했다. 현장
에는 몇 가지 공구와 파손된 장치의 파편이 널브러져
있었다. 입에서 탄식이 새어 나왔다.

"김 박사님, 작업 중이십니까."

문 쪽에서 누군가 말을 건네 왔다. 스미노프 상사
였다.

"아 예, 상사님. 상태 한 번 보고 있었습니다."

"이거 참, 우리 애들이 크게 사고를 쳤군요. 죄송합
니다."

"아닙니다, 겉 부분만 조금 파손된 상태라 금방 고
칠 수 있을 겁니다."

스미노프 상사가 사과를 건넸다. 이전 방문자였던
러시아 연구원들이 저지른 일에 대한 사과였다. 밀수

한 보드카를 마시고 놀다가 사고를 친 모양이었다. 다행히 내부 부품은 멀쩡한 상태라 조금만 손보면 재가동할 수 있을 것 같았다.

"그런데 죄송하지만, 이건 어떤 원리로 작동하는 건가요? 달에서 산소를 만들어낸다는 것이 잘 이해가 되지 않습니다만."

"아, 달 표면에 있는 적철석을 이용하는 겁니다. 달에는 산화석이 풍부한데, 이 산화석에는 산소가 다른 원소와 결합하여 암석의 형태로 존재하죠. 이 산화석을 수소와 고온 반응시켜 물을 만들고, 그 물을 전기분해하여 기체 산소를 얻는 겁니다. 보시죠."

옆 챔버로 스미노프 상사를 안내했다. 반응기는 손상이 없어 그대로 가동 중이었다. 한쪽에서는 적철석이 고온을 받아 벌겋게 달아오르고 있었고, 반대쪽의 냉각봉에는 물방울이 송골송골 맺혀있었다.

"물이라, 그럼 수소는 어디서 충당하죠?"

"지금은 수소전지 연료 한 통을 떼 와서 쓰고 있습니다. 산화 환원 반응만 하기 때문에 소모되지는 않아요. 나중에는 달 대기 중에서 수소를 얻을 수 있습니다. 중력 장치 덕분에 대기 밀도가 높아져서 수소 수율이 한결 높아졌어요."

"언젠가는 한계가 오지 않을까요? 이 시스템에서 물을 뽑아 쓰게 될 상황이 올 것 같은데 말이죠."

스미노프 상사는 보급 담당관답게 물자에 관련된 계산이 매우 빠른 것 같았다. 실제로 지금의 산소 발생량은 10~20명 정도의 사람 분량 정도밖에 되지 않았다. 달 표면 개발이 되면 될수록, 인원이 많아지면 많아질수록 산소는 턱없이 부족하게 될 것이다.

"맞습니다. 그래서 달 대기 조성이 어느 정도 끝나면, 극지방으로 가서 얼음을 채취할 예정입니다. 수송 인프라만 갖춰지면 물 걱정은 없을 거예요. 파이프라인 설치는 너무 규모가 커서, 현재로서는 로버로 수송하는 방안이 제일 유력합니다."

"바나 박사가 좋아하겠군요. 로버 개발에 힘을 많이 쓰던데 말이죠."

"수소와 산소 공급만 원활해진다면, 이 기지가 인류 최초의 100% 친환경 인프라가 될 겁니다."

*

예상대로 산소발생기 수리는 얼마 걸리지 않아 끝났다. 복귀까지 남은 기간 동안 보고서나 쓰고 있어야겠다고 생각하던 찰나, 바나 박사가 격납고로 향하고 있었다. 왕복선 화물칸에서 컨테이너들이 하선 되고 있었다. 당장 할 일이 없던 나는 바나 박사를 뒤쫓았다.

"깜짝이야, 김 박사님. 언제 따라오셨어요?"

"방금 일이 끝났는데, 마침 앞에 보여서요. 격납고 가시는 길입니까?"

"네, 저도 제 일 하러 가야죠. 바쁘지 않다면 같이

가시겠습니까?"

"저야 좋죠."

바나 박사의 일을 구경하는 것은 즐겁다. 옆에서 기웃거리고 있으면 한 번씩 시승을 시켜주기 때문이다. 가끔은 본인이 조수석에 앉고 내가 운전대를 잡게 해주기도 한다. 달 위를 드라이브하는 그 순간은 이 프로젝트에 지원하길 잘했다는 생각이 들게 하는 여러 이유 중 하나다.

"이번에는 이걸로 가보죠."

바나 박사가 컨테이너를 열자 새로운 로버가 보였다. 컨테이너에서 완전히 빠져나오자 접혀있던 날개가 펼쳐지며 좌우로 뻗어나갔다. 기존 사륜구동 로버에 비해 바퀴가 매우 작고 개수도 3개뿐이었다. 그것은 로버라기보다는 경비행기에 가까웠다.

"제트 엔진? 달에서 제트기 운행이 가능합니까?"

"네, 대기는 어느 정도 형성됐으니. 조금 전에 대기 분석 데이터로 시뮬레이션 돌려봤는데, 단기간 사용에는 무리가 없을 듯합니다."

"왜 프로펠러를 쓰지 않구요?"

"저기압 환경에서는 오히려 제트 엔진이 낫습니다. 거기다 이건 장거리용이에요. 앞으로 달 전체가 활동권이 될 텐데, 사륜 로버보다는 훨씬 빨라야죠. 이론상 고요의 바다를 2시간 만에 횡단할 수 있다니까요. 극지방까지는 7시간 정도 걸리고요."

로버에 올라타자 바나 박사가 로버의 시동을 걸었다. 우웅 소리와 함께 빛이 들어오며 로버가 지면에서 떠올랐다.

"반중력 장치인가요? 이렇게 작은 건 처음 보는데."

"네, 이것도 초기 시제품입니다. 대형 장치처럼 전력 공급이 불가능해 반영구적으로 작동하지는 못해서, 이착륙시에만 사용하죠."

"이것도 직접 실험해보신 건가요?"

"아니요, 하지만 계산 결과는 충분히 가능하다고 나옵니다. 지금이 첫 시험 운전이 되겠고요."

"그렇군요…"

갑자기 불안감이 들었지만, 같이 탑승하고 있는 처지니 그를 믿을 수밖에 없었다. 바나 박사가 스로틀을 올리자 엔진에서 화염이 뿜어져 나왔다.

"준비됐습니까?"

"네, 네?"

"엔진 최대 출력!"

급격한 관성력이 몸을 덮쳤다. 계기판은 순식간에 시속 100km를 가리켰다. 주행속도에 다다르자 뒤로 젖혀진 몸이 앞으로 돌아왔다. 로버의 고도가 높아질수록 속도감이 사라졌다. 전면 유리창으로 검은 배경과 흰 별만 보였다. 우주를 누비는 것 같은 기분이 들었다. 강 소령이 왕복선을 조종할 때도 이런 기분일까.

"이거 참, 로버 타면서 농땡이나 피우려 했더니, 이젠 그것도 못 하겠네요, 하하."

바나 박사가 감상에 빠진 나를 일깨웠다.

"근데 이건 자동차가 아닌데 로버라고 불러도 됩니까?"

"저도 의문이 들긴 했는데, 위쪽에서는 그냥 로버라고 계속 부르라고 하더라고요. 새로운 명칭 붙이면 헷갈리고, 또 서류도 싹 다 수정해야 한다고… 거기다 그리 높게 날지도 않으니까요. 자기부상열차도 열차인 것처럼, 이것도 로버라고 치는 거죠."

"그런 게 어딨습니까, 이게 만약 소설이었으면 설정 x나게 대충 짰다고 했을걸요."

"하하, 이름 붙인 사람이 멍청하다고 해두죠."

바나 박사가 조종간을 돌리자 로버가 부드럽게 선회했다. 창밖으로 보이는 우주의 풍경이 빠르게 변해 갔다.

"반중력 장치가 있는데 날개는 왜 달아둔 겁니까?"

"이게요, 배터리를 엄청나게 잡아먹습니다. 반중력 장치만으로 비행하려면 30분도 못가요. 잠깐잠깐 정차할 때나 최대 설정으로 하는 거고, 순항 중일 때는 양력의 힘을 더 많이 씁니다. 대기 밀도가 낮은 만큼 날개는 더 커졌고요."

"뭔가 애매하네요, 이도저도 아니고. 그럼 반중력 장치 자체가 필요 없는 것 아닌가요?"

"이착륙할 때는 유용하니까요. 지구에서 하던 대로 이륙하려면, 활주로 길이만 몇 km씩은 될 겁니다. 착륙도 제자리에서 할 수 있으니 좋고요."

"아하, 순간적으로 필요할 때만 반중력 장치를 쓰고, 순항 조건에서는 양력만으로 비행하는 것이군요?"

"그걸 공학계에서는 '하이브리드 동력'이라고 하죠. 이번 프로젝트처럼 지원 많이 해줄 때나 개발할 수 있는 겁니다."

"용어는 쓸데없이 멋있네요."

우리는 로버를 타고 30분간 바다 가장자리를 돌았

다. 기존 사륜형 로버로는 3시간이 걸릴 거리였다. 거기다 울퉁불퉁한 달 표면의 영향이 없어, 멀미가 약점인 나도 편안한 드라이브를 즐길 수 있었다.

"대단하군요. 로버만 타면 항상 멀미했는데, 흔들림 없이 빠르게 도착할 수 있다니 좋네요."

"그 점이 제일 큰 장점이죠. 자, 이 너머는 중력권 영향이 적어서 대기가 얇습니다. 엔진 효율이 바닥으로 떨어져요. 당분간은 이 밖으로는 나가지 말라고들 하더군요. 따로 표식 같은 게 없으니, 기지가 손톱만큼 작게 보일 때를 기준으로 하면 됩니다. 뭐, 여기까지 올 일이 없긴 하지만요."

"그렇죠… 그런데 바나 박사님, 뭐 하나만 여쭤봐도 됩니까?"

"이거 운전해 봐도 되냐고요?"

"앗"

바나 박사는 장난스럽게 웃고는 로버를 멈춰 세웠다. 그러고는 로버에서 내려 조종석을 나에게 양보했다. 조종석은 조수석보다 조금 더 넓었다. 조종 장치는 기존 로버에서 크게 달라지지 않았다. 편의성을 중요시하는 바나 박사의 철학 덕분이었다.

"이전 모델 운전해봤으니, 조종법은 잘 아실 겁니다. 에어컨이나 방향지시등 같은 조작은 따로 가르쳐드리진 않겠습니다. 어차피 작동 안 되는 것들이 더 많을 거라서요. 저는 다른 화물도 내려야 해서 가봐야해요. 남은 연료로는 아마… 한 시간 정도는 더 탈 수 있을 겁니다. 반중력 장치 쓰면 쓸수록 더 빨리 닳으니까 조심하시고요. 그냥 30분 정도라고 생각하시고 타세요. 아까 그 컨테이너 앞에 두시면 제가 들여놓겠습니다."

바나 박사는 길게 당부하고 떠났다. 아무래도 사고를 친 전적이 있으니 걱정하는 것 같았다. 바나 박사가 시야에서 사라지는 것과 동시에 시동을 걸었다. 로버가 떠오르며 엔진 구동음이 들렸다. 계기판은 상용모델보다 조악했지만, 속도계와 고도계, 연료계는 확실히 볼 수 있었다. HUD에 GPS가 작동되었다. 조금씩 출력을 높였다. 로버는 높고 찢어지는 소리를 내며 앞으로 날아올랐다.

*

조종에 어느 정도 익숙해진 후 고도와 속도를 최고로 높였다. 로버를 모는 순간 나는 마침내 자유가 되는 느낌이었다. 길었던 박사과정, 포닥, 그리고 연구원 시절동안 틀어박혀 있던 지긋지긋한 연구실을 박차고 나와 온전히 혼자가 될 수 있었다. 바나 박사도 분명 이 기분을 알 테다. 그래서 나에게도 이런 시간을 누릴 수 있도록 배려해주는 것이겠지. 기지를 등지고 계속해서 날았다. 기지는 점점 작아져 지평선 너머로 멀어졌다. 격납고, 연구실, 관제탑, 마지막으로 착륙선까지 시야에서 사라졌다. 그와 함께 나를 짓누르던 책임과 의무와 부담과, 피로와 고통과 스트레스도 멀어졌다.

네비게이션은 대기권을 벗어나고 있다는 경고를 보냈다. 엔진에서 심상치 않은 소리가 났다. 대기권을 벗어날수록 효율이 떨어지는 탓이었다. 통신 강도도 떨어지고 있었다. 괜히 무리해서 운행하다가 고장이라도 나면 바나 박사를 볼 면목이 없을 터였다. 슬슬 기지로 돌아가려는 찰나였다.

'저게 뭐지…?'

달 표면이 일렁이고 있었다. 순간 불행한 생각이 들었다. 작은 규모의 태양풍은 감지가 힘들기 때문에, 달 표면 도착 몇 분 전에야 경고를 들을 수 있다. 만약 통신이 약해 경고를 듣지 못한 것이라면…

그 순간 우주복의 HUD가 지지직거리더니 순간 모든 화면 표시가 사라졌다. 로버 또한 작동을 멈췄다. 나를 둘러싼 모든 기계장치가 제 역할을 잃었다. 일순간 붕 뜨는 느낌이 들었다. 반중력 장치 버튼을 필사적으로 내리쳤지만 소용없었다. 로버는 날아가던 속도 그대로 추락하여 달 표면에 처박혔다. 로버가 표면에 부딪히는 순간 튕겨 나갔다. 그 뒤로 정신을 잃었다.

5.

깨어나 보니 해가 지고 있었다. 몇 시간이 지난 듯했다. 몸을 일으키자 몇 군데가 욱신거렸다. 왼팔은 극심한 격통이 느껴지는 것으로 보아 부러진 것 같았고, 온몸에 타박상이 생겨 쓰라렸다. 다행히 다리는 크게 다치지 않아 걸을 수 있었다. 훈련받은 대로 나와 주변의 상황을 먼저 파악했다. 우주복은 군데군데 찢어졌으나, 아직 살아있는 것으로 보아 공기가 새는 곳은 없었다. 앞 유리에 금이 가 시야가 둘로 나뉘어 보였다. 근처에 로버의 파편이 이리저리 널브러져 있었고, 바로 옆에 부러진 로버 날개가 수직으로 꽂혀있었다. 날개의 그림자는 절묘하게 나를 덮어주고 있었다. 날개가 차폐막 역할을 하여 태양풍의 영향에서 살아남을 수 있었던 것 같다. 로버의 메인 모듈을 찾아 작동을 시도해보려 했으나 실패했다. 태양풍에 오래 노출된 나머지 내부 회로가 다 타버린 것 같았다.

우주복을 재부팅하자 전원이 들어왔다. 우주복 기

294

본 시스템은 복구되었으나 통신 및 일부 기능은 여전히 먹통이었다. 통신 불가능을 감지하자 우주복이 자동으로 생존 모드로 전환되었다. 순환 시스템이 작동되어 한 층 조여드는 느낌이 들었다. 이번 우주복은 기능이 혁신적으로 개선되었다. 기존의 뚱뚱한 기저귀 같은 우주복과는 달리, 영화 '아이언맨'과 같은 첨단 기능들로 무장한 적응형 다기능 슈트 같았다. 기본적인 AI와 더불어 작업 도구, 전력 자체 생산 및 생존 기능이 탑재되어 있었다. 달 표면에서 실외 활동이 늘어난 만큼 우주복 또한 빠른 개발 과정을 거쳤기 때문에 지금 같은 상황에서도 어느 정도의 생존율은 보장할 수 있었다. 고립 상황에 대한 훈련 내용을 다시금 떠올렸다.

우주복에 내장된 순환 시스템은 극한 상황 시뮬레이션의 생존율을 거의 100%에 가깝게 만들었다. 우주복 내부의 에너지와 수분을 고효율로 순환시켜 일주일가량을 먹고 마시지 않고 지낼 수 있게 해준다. 체내의 부산물을 정화하여 다시 섭취한다는 사실이 다소 역겹기는 하지만, 연구실에서 반쯤 장난으로 진행한 블라인드 테스트에서는 아무도 생수와 여과수를 구분해내지 못했다. 살아남기에는 적절한 시스템일지라도, 언제까지 이렇게 가만히 있으면 제자리에서 서서히 말라 죽어갈 뿐이었다. 전력의 일부를 자동 보행 시스템으로 돌렸다.

GPS에 내 위치가 잡히지 않았기 때문에 태양의 위치를 토대로 방향을 계산해야 했다. 다행히 달 표준시에 맞춘 시계가 작동하고 있었기 때문에 대략의 위도와 경도를 알 수 있었다. 어림잡아 측정한 결과 고요의 바다 동쪽이었다. 하필 로버를 타고 이동한 경로 중 가장 먼 곳에서 조난을 당한 것이다. 증기의 바다까지의 거리는 제트 엔진의 속력으로는 몇 분 만에 도달할 수 있었지만, 맨몸으로 돌아가려면 일주일간 쉬지 않고 걸어야 했다. 기지 방향으로 직선 경로를 설정했다. 정확하지는 않더라도, GPS의 영향권 내에 들어가면 경로를 수정할 수 있을 것이다.

"자동 보행 시스템 가동. 좌표 입력 완료. 예상 보행 시간: 173시간 "

AI는 남은 산소와 물, 그리고 이동 속도를 실시간으로 계산하여 가장 먼 거리를 걸어갈 수 있는 속도를 알려줬다. 이론상으로 가능한 거리는 200km였다. 기지까지 도착하는 것은 무리가 있었지만, 통신권 이내에만 들어가면 구조 요청을 보낼 수 있을 것이다. 그러나 그것은 한 가지 요소를 배제한 결과였다. 한 걸음을 내딛자마자 다른 문제에 직면했다.

"엑소슈트 전력 10% 이하, 비상전력을 가동합니다."

AI가 말하는 '비상전력'이란 바로 나다. 정확히는 내 육신이다. 내 피와 살이다. 우주에서 에너지원을 찾는 것은 쉽지 않다. 태양광 발전을 하기에는 표면적이 턱없이 부족하고, 배터리는 그 용량에 한계가 있다. 따라서 인체에서 수분을 뽑아내어 발전을 하는 것이다. 자동 순환 시스템의 수분 일부를 전기분해하여 수소 발전기를 돌리는 원리다. 재부팅 화면을 보자마자 예감한 결과였다. 하지만 이것이 유일한 선택지였다. 제자리에서 꼼짝없이 죽어갈 바에 체력을 깎아서라도 기지로 복귀하겠다는 작전이다. 그 전에 예비 배터리를 챙기는 것이 당연한 수순이고 또 그것을 충실히 이행했지만, 그 배터리는 박살난 채 고요의 바다 어딘가에서 나뒹굴고 있을 테다. 살아남기 위해 나와 우주복은 같은 에너지를 공유해야 했다.

"경고: 해당 과정은 인체에 큰 악영향을 미칠 수 있습니다. 생체 수분 추출에 동의하십니까? [Y/N]"
"동의한다."

*

걷기 시작한지 4일이 지났다. 내가 자고 있어도 우주복은 자동으로 걸었다. 처음 두 밤은 익숙하지 않아 잠들지 못했다. 3일째부터는 뇌가 스스로 활동을 정지하듯, 스스로 알아채지도 못하는 잠에 들었다. 헬멧 앞유리에 머리를 박고 자다가 일어나보면 거리가 꽤 줄어 있다. 어떻게 한 번도 넘어지지 않고 걸을 수 있는지, 프로그래밍한 사람을 만나보고 싶었다.

주변은 회색 돌과 먼지와 검은 우주밖에 없어 고요했다. 고요의 바다라는 이름값을 톡톡히 하고 있었다. 다른 바다도 마찬가지일 테지만 말이다. 힘들 때 몇 번이고 지구를 올려다봤지만, 닿을 수 없이 멀리 있다는 것만을 되새겼다. 하지만 흑백의 월면에서 색을 볼 수 있는 것은 오직 지구뿐이었기에 홀린 듯이 바라볼 수밖에 없었다. 지구는 볼 때마다 그 모습을 바꾸었다. 구름과 대륙과 바다가 이리저리 어우러져 새로웠다. '지구는 푸른 빛이었다'라는 유리 가가린의 말이 생각났다. 지구가 푸른 것은 표면을 뒤덮은 바다 덕이다. 물과 활기와 생명을 띤 바다. 하지만 달의 바다는 메마르고 황량했다. 텅 빈 구덩이였다. 바람조차 불지 않아 모든 것이 정지한 것만 같았다.

'그래, 여긴 바다였어. 고요의 바다. 아니야, 나의 바다는 이것과 달라. 푸른 하늘과 파란 바다가 옅어져 수평선에서 만나고, 그 끝에는 무한한 가능성이 보여.

찾아오라고, 우리 함께 나아가자고 나에게 파도로 손
짓하지. 파도는 푸르게 부딪혀 나를 깨우고 하얗게 멀
어져.'

　온몸이 무겁다. 팔다리가 납덩이가 된 듯 무겁다.
몇 번이고 포기하고 쓰러지고 싶었으나 이 우주복은
나를 쉽게 두지 않는다. 내 몸의 에너지를 멋대로 빨
아먹어 기지로 돌아가려 한다. 나를 살리기 위해 나를
죽이려 한다. 눈은 따갑고 코와 입은 헐어 따끔거렸
다. 입술은 갈라져 터져나갔지만 피는 나지 않았다.
혀로 입술을 핥자 사포가 지나간 것만 같았다. 건조기
서 돌아가는 빨래가 이런 기분이었을까. 몸이 마치 모
래로 지어진 것 같아, 툭 치면 바스라져 가루가 될
것만 같았다. 그 어느 때보다 물을 원하고 있었다. 바
다 한가운데서 말라 죽고 있었다. 이미 만신창이가 된
몸은 더 이상 버티지 못할 것 같았다. 수분이 부족해
지자 몸의 회복력이 떨어졌다. 부러진 팔은 점점 부어
올랐고, 진통 효과가 떨어져 참을 수 없을 정도로 괴
로웠다. 우주복은 겨우 기능할 정도의 전력을 유지하

고 있었다. 지금껏 그래왔듯 우주복에 모든 행동을 맡긴 채 잠에 들면 다시 일어날 수 없을지도 모른다. 이제 정신을 유지하기 위한 방법은 하나밖에 없었다. 의료 기능이 복구된 것을 확인하고 스캔을 실행했다. 우주복은 몸 상태를 보고 그에 맞는 조치를 취했다.

"다발성 타박상 및 골절 감지. 진통제 투입. 주사 중 안전한 장소에서 안정을 취하시기 바랍니다."

푸슉, 하는 소리가 난다. 팔뚝에서 통증이 일었다가 곧 사그라들었다. 미치지 않으려면, 정신을 잃고 쓰러지지 않으려면 이 방법뿐이었다. 진통제가 주사되는 팔뚝을 주먹으로 내리쳤다. 바늘이 깊게 들어와 근육을 뚫고 뼈를 긁었다.

쾅!

"경고. 주사 체계에 이상이 감지되었습니다. 약물이 과다 투여될 수 있으니 즉시 대처해주시기를 바랍니다."

쾅!

"시스템 점검 및 조치를 위해 의료 전문가와 협조
해주십시오."

쾅!

"서둘러 조치하지 않을 경우 환자의 건강에 심각한
위험이 초래될 수 있습니다."

경고에 아랑곳하지 않고 미친 듯 내리쳤다. 바이
저에는 붉은 경고등이 뜨며 모르핀 과다 투여를 알렸
다. 기준치의 10배가 넘는 진통제가 체내로 흘러들어
왔다. 힘이 빠져 자리에 주저앉자 정신이 몽롱해지고
통증이 사라졌다. 모르핀이 혈관을 돌아 뇌에 작용하
는 것이 느껴졌다. 호흡이 약해지고 심장박동이 느려
졌다. 눈앞이 흐려지고 어지러움이 느껴졌다. 반대쪽

팔에 각성제를 꽂았다.

아드레날린, 아드레날린, 아드레날린!

일부러 거칠게 숨을 쉰다. 곧 모든 것이 또렷해진다. 온몸이 가벼워 날아갈 듯했다. 머리 위 지구, 우주, 그리고 저 멀리 별들이 보인다. 지구의 가족들이 인사하는 것이 보인다. 그들이 인사하는 것이 들린다. 나도 손을 들어 흔들었다.

각성제는 곧 온몸으로 순환하며 모든 감각을 일깨웠다. 극도로 민감해진 오감은 뇌 용량을 넘어선 자극을 들여보냈다. 눈은 우리은하의 모든 별을 세아렸고 귀는 목성의 몰아치는 폭풍우를 들었으며 코는 아폴로 13호의 매연을 맡았고 혀는 라이카의 눈물을 맛보고 피부는 진공의 음압과 절대영도의 추위와 혈관을 흐르는 피의 흐름과 태양과 지구와 달의 삼체(三體) 운동을 느꼈다. 각성한 감각은 온몸의 신경을 곤두세웠고 정신은 더없이 날카로워졌으며 머리는 아득한 사고를 반복했다. 정보는 몰아치듯 밀려들어왔고 그 모든 것을 받아들인 뇌는 점점 커지고 무거워졌다. 시냅스는 과포화된 정보 엔트로피를 감당하지 못해 하나둘 터져갔고, 관계를 잃은 뉴런은 태어나서 처음으로 고독을 느꼈다. 뇌세포는 여럿에서 하나가 되었고 뇌는 뇌수와 뇌세포의 불균질 혼합물이 되었다. 무게중심을 잃은 뇌는 아래로 침강했다. 두개골을 뚫고 척추를 따라 내려가며 눈과 코와 귀와 혀와 모든 피부로부터 멀어졌다. 잘난 듯 스스로를 곧 개체 전체라고 정의했던 기관은, 혼자서는 아무것도 하지 못하는 그것은 더 이상 남을 깔볼 수 있는 꼭대기에 있지 않았다. 처음 느낀 바닥은 딱딱하고 차가웠다. 신경은 끊어져 외부와 차단되었다. 하지만 들어온 정보를 처리하는 것조차 이미 한계를 넘어선 작업이었다.

뇌는 그렇게 생각을 그만두었다.

6.

　무너진 정신을 따라 육신은 흘러내렸다. 먼저 피부가 녹아내리고 그 아래 지방층, 근육, 혈관, 내장, 신경계, 마지막으로 뼈까지, 전단응력에 저항하지 못하고 변형되는 유체가 되어 흘렀다. 나는 더 이상 시를 쓰고 편미분함수를 풀고 별을 노래하는 인간이 아니었다. 외부로부터 자극을 받아들이고 자아로 오체를 움직이는 동물이 아니었다. 우주복 안에서 출렁이는 물이었다. 단백질이었다. 일부는 지방 덩어리와 기타 무기질 탄수화물이었다. 65%의 산소와 18%의 탄소와 9.5%의 수소와 나머지 미네랄이었다. 헬멧은 물과 기름과 살덩어리로 가득 찬 어항이고 그 속에서 가라앉은 뇌의 파편이 다시 떠올라 둥실거렸다. 걷는 것은 내가 아니라 우주복이었다. 한 발 한 발 걸을 때마다 나는 그저 출렁이는 것밖에 할 수 없었다. 나는 분명 살아 움직이고 사고하는 것이었으나 나의 움직임은 내 의지에 의한 것이 아니었다. 삐걱대며 걷는 것은 나의 껍데기였다. 차가운 기계였다. 우리가 찬양하는 그 같잖은 생명은, 기계를 격하하면서 치켜세웠던 자연에서 내려온 찬란한 삶이라는 존재는 지금 시냅스 덩어리의 곤죽 형태로 남아 생각이라고 부르기도 애매한 신경 작용만을 나누고 있었다.

지금의 나를 정의하는 것은 무엇인가.

누군가 걷고 있는 이 형상을 본다면 무엇을 나라고 인식하겠는가. 단세포라고 할 정도의 뇌조각인가, 아니면 수천 테라바이트의 연산을 수행하며 실질적인 행동을 이행하는 이 우주복인가. 형태와 사고력을 잃은 나는 인간성을 상실했다. 아니, 인간성을 빼앗겼다고 보는 것이 옳다. 나보다 더 인간다운 기계 안에서 더이상 머리와 팔다리를 가진 형태로 남아있고 싶지 않았다. 나의 형태를 제멋대로 정한, 0.1 세제곱미터의 비좁은 공간에 나를 가둔 이 껍데기를 벗어던지고 싶었다. 한 꺼풀만 벗으면 우주가 나온다. 그 곳은 숫자로 가늠할 수 없는 무(無)이자 무한한 공간이다. 그 곳에서는 가장 똑똑한 사람이든 슈퍼컴퓨터든 강인공지능이든 양자 컴퓨팅이든, 그리고 아무 짝에도 쓸모없는 지금의 나든, 모두 평등한 먼지조각이다. 무엇이 인간이고 무엇이 아닌지 구분할 수 없다. 오직 존재 자체로서 의미를 가질 뿐이었다. 그렇기에 자연스러웠다. 또 자유로웠다. 인간이 하나하나 의미를 부여하고, 또 그 의미에 따른 책임을 부여하기 전의 세상처럼 말이다. 그 곳은 민들레 홀씨가 바람을 타고 팔랑이는 하늘이었다. 갈매기의 깃털이 유유히 떠다닐 수 있는 바다였다. 모두가 존재의 가치를 입증할 수 있는 유일한 공간이었다. 그래서 역설적으로, 내가 존재 의미를 찾을 수 있는 유일한 공간이었다.

눈앞에 출렁이는 것이 나인지 바다인지 알 수 없었다. 유일한 방법은 직접 밖으로 나가 확인하는 것이었다. 마지막으로 힘을 쥐어짜내 나를 둘러싼 껍데기에 체중을 실었다. 껍데기는 무게중심을 잃고 넘어져, 뾰족한 돌덩어리에 앞 유리가 부딪쳐 깨졌다. 시끄러운 경고음이 울리며 틈 사이로 공기가 빨려 나갔다. 그 바람은 이 황무지에서 나를 제외한 유일한 생명체인 것처럼 느껴졌다. 바람은 빠져나가면서 나에게 속삭이는 듯했다. 같이 나가자고, 이 감옥에서 벗어나 바다로 가자고. 나는 눈을 감고 바람에 몸을 맡겼다.

흘러야지

저 바다로

난 이제 자유다

7.

"…박사님! 김 박사님!"

시끄러운 소리에 눈을 떴다. 온몸이 무거웠다. 눈앞에 누군가의 얼굴이 보였다.

"박사님, 정신이 드세요? 여기, 눈을 떴습니다!"
"… 강 소령님?"
"박사님, 제가 보이십니까? 제 말도 들리시고요?"

몸을 일으키려 하자 왼팔이 욱신거렸다. 강 소령의 부축을 받아 앉을 수 있었다.

"끄응, 네, 잘 보이고 잘 들립니다. 여긴 어디죠?"
"지구입니다. 대한민국 인천의 병원이에요. 달에서 귀환해서 수술 끝나고 귀국한 참입니다."
"지구요? 대한민국? 언제… 전 분명히…"
"기지 근처에서 박사님을 찾았어요. 우주복 헬멧이

깨져있었는데, 다행히 대기권 안쪽이어서 생존할 수 있었습니다. 비상전력시스템이 켜져 있던데, 만약 슈트가 정지하지 않았다면 몸의 수분을 다 빼앗겨 죽을 수도 있었다는군요. 파손이 전화위복이 된 셈이죠."

"전화위복… "

김 박사는 조용히 되뇌었다. 날 살린 게 아니라 날 죽이고 있었다고?

"그래도 우주복 자동보행 기능 덕분에 기지 앞까지 갔는 걸요."

"박사님, 몸 상태가 말이 아니었습니다. 왼팔 골절에, 전신 타박상, 근육 파열, 횡문근 용해, 탈수, 저산소증까지… 비상전력 기능 때문에 입은 내상이 많습니다. 말 그대로 비상 전력이지, 박사님처럼 며칠 동안 쓰라고 있는 기능이 아니에요. 슈트 개발 부서에서도 기겁을 하더라고요. 자살하려고 작정한 거냐고."

"다른 분들은요? 저 때문에 작전 계획 다 꼬인 거 아닙니까?"

"작전은 무슨… 사람 죽을 뻔했는데 작전이 중요
해?"

돌아보니 소장님과 임 박사가 서 있었다. 임 박사
는 침대 옆에 걸터앉아 깎은 사과를 한 조각 건네주
었다.

"자식아, 선물 가져오라니까 시체가 돼서 왔어. 그
렇게 싫었냐?"
"아니, 지금 죽다 살아온 사람한테 할 말입니까?"

그렇게 말하면서도 사과를 베어 물었다. 사과는 달
고 시원했다. 정말 오랜만에 맛보는 달콤함인 것 같았
다. 순간 달에서 느껴졌던 모든 감각들의 편린이 지나
갔다. 오감으로 고통만을 느꼈던 그 순간, 온 우주의
진리를 깨달은 듯했다. 그러나 그 기억을 되살려보고
자 하려니 머리가 아파져 왔다.

"김 박사, 이번에는 진짜 푹 쉬어. 작전은 걱정하지

말고. 다들 가벼운 일로 간 거라 괜찮을 거야. 그리고 이런 말 하긴 좀 그렇지만, 김 박사 우주복에 쌓인 생체 데이터가 나름 의미가 커. 그것만으로 큰 실적이 될 거야. 누가 보면 비윤리적 생체 실험이라도 한 줄 알 정도라니까."

"그거 다행이네요, 소장님."

"휴가 끝나면 수석으로 올려줄 테니까 그렇게 알고. 수당도 따박따박 나올 테니까 앞으로 회복에 전념해. 뭔 일 생기면 내가 대신 올라갈 테니까."

사람들은 나를 남겨두고 자리를 떴다. 나는 침대에 누워 천장을 바라봤다. 바람이 불어와 커튼이 흩날리며 춤추는 그림자를 만들어냈다. 비로소 지구에 돌아온 것이 실감이 되었다.

그 감각은 분명 진실이었다. 나는 녹아내려 우주복 안에서 출렁였고, 깨진 헬멧 사이로 탈출하여 달의 바다로 흘러갔다. 해안가로 가 부딪히고 깨지고 다시 돌아오기도 했고, 와류를 만나 소용돌이치기도 했으며, 거대한 해일이 되기도 했다. 그렇게 치이고 뒤섞여도 누구도 나를 알아채지 못했다. 내가 지르는 것이 환희의 함성인지, 슬픔의 절규인지 들리지 않았다. 고요의 바다라는 이름처럼.

창밖에는 지구의 바다가 보였다. 푸르고, 아득하고, 수평선은 하늘과 맞닿아 아른거렸으며 수면에는 윤슬이 반짝였다. 달 위에서 나와 한 몸이 되었던 바다와는 정반대였다. 이곳이 살아있는 바다라면, 그곳은 죽은 바다였다. 나는 죽은 바다에서 무엇이 된 것일까. 적막함 속에서 무슨 의미를 찾은 것일까.

그 메마른 바다에서 나는 파도가 되었다. 내 존재 의미를 찾아 헤매었다. 그러다 모든 것을 포기하고는 편해지고만 싶었다. 이제와 생명으로 가득 찬 지구로 돌아오니, 그 상념들이 다 무의미하게만 느껴졌다. 이렇게 살아있는 것으로 충분하다. 그렇게 결론짓고는 잠에 들었다.

작가 후기

구창준

남인서

박병준

박성환

배성한

윤예원

이다은

이하승

작가 후기

구창준

이전 글잇당 문집에 참여하지 못해서 저에게는 글잇당 첫 문집입니다! 다들 막학기에 대학원생이라 바빠서 문집 출간까지 우여곡절이 많았지만, 드디어 끝이 났네요. 이제 졸업하는 글잇당 친구들도 많아서 아쉽습니다. 언젠가 다시 이 문집 볼 때 팍팍한 공대의 삶에서 활력소가 되었던 글잇당을 기억해 주면 좋겠습니다. 직장인 클럽으로 글잇당은 계속될 수도?

남인서

첫 문집을 끝낸 이후로 두 번째 문집이 나올 수 있을까 의심을 거듭했는데, 우여곡절 끝에 우리의 이름이 담긴 책을 또 한 번 낼 수 있게 된 것은 모두 글잇당 부원들 덕분입니다. 깜빡이는 커서를 앞지르며

백지를 무화하고 각자의 세계를 완성해준 여러분에게 존경과 감사를 전합니다. 읽고 쓰며 서로를 다독였던 시간들이 오랫동안 마음에 남을 거예요.

박병준

작가가 만족하는 작품과 독자가 만족하는 작품을 저울질한다면 과연 어느 쪽으로 기울어질까요? 저는 저울질하는 방법을 오래 전에 잊어버렸습니다. 그렇기에 무엇을 더 우선시할지 정할 수 없었어요. 그럼에도 불구하고, 힘자랑을 하고팠던 저는 둘 모두를 들려고 했죠. 하지만 둘은 생각보다 무거워서 두 손을 짓이겨 버렸고, 결국 두 손을 채 높이 들지 못했습니다. 걱정 마세요, 부원들이 힘을 보태주었어요. 하마터면 둘 다 떨어뜨릴 뻔했죠! 저도 부원들의 저울에 힘이 되었을까요?

박성환

배성한

바쁜 시간이었습니다.

문집에 참여한 모두가 고학번~대학원생이 되어, 각자의 삶에 치여 힘들어하는 와중이라

저번 문집의 두 배가 넘는 시간이 소요되었습니다.

저 역시 바쁜 나날을 보냈고, 글쓰기에 소홀해져 작은 회의감이 들기도 했습니다.

그럼에도 이렇게 문집을 마무리할 수 있었던 까닭은 글잇당 부원들과 함께 만들어 나간다는 사실이, 저에게 작은 위로가 되어 주었기 때문일 것입니다.

예전처럼 매주 만나지는 못할지라도

잊을 때 즈음 서로의 안부를 묻고, 일상을 나누고, 또 함께 글을 읽고 쓰는 시간을 가졌기 때문일 것입니다.

마음 가는 대로 글을 써보았습니다.

인생 첫 장편(?) 소설도 시도해보았습니다.

미숙한 글이지만 재미있게 읽어주셔서 감사합니다.

'잘 읽었습니다'라는 칭찬 한 마디가, 열 페이지의

글을 쓰게 하는 원동력이 됩니다.

앞으로도 좋은 기회로 만날 수 있게 되었으면 좋겠습니다. 읽어주신 모든 분들께 감사합니다.

윤예원

어떤 잊고 싶지 않은 것들이 있다. 혹여 글을 완전히 잊었을 지도 모르는 다중우주의 또 다른 나에게, 그리고 지난 1년 동안 자주 잊었던 나에게 건네는 말 같은 '글을 잊은 당신에게'. 잊을 때 즈음 자꾸 날아온,

이 세계의 내가 완벽히 글을 잊지 않도록 해준 이 커다란 동아리에 감사를 드립니다. 늦게나마 합류할 수 있었음에 행운이라고 생각했어요. 멋진 이야기들을 꺼내 놓아 주시니 즐거움이 컸네요. 모두들 안녕하길 바라고 있습니다. 앞으로도 계속 그런 마음이 들 것만 같아요. 이 책이 남았으니 잊을 수 없겠지요? 고마워요

이다은

현생이 바빠지고 꾸준히 글을 쓰는 것이 쉽지는 않았습니다. 잘 써지지 않는 날이 늘고 대학생활에서 문학이 희미해질 때도 틈틈이 글잇당을 찾은 사람들 덕에 끝까지 쓸 수 있었습니다. 함께 글 쓰는 시간이 좋았고 같이 쓰는 사람이 좋았습니다. 문집을 편집하면서 예전에 쓴 글들을 다시 보니 새삼 열심히 적어왔다는 사실이 느껴집니다. 문집에 실린 글과 실리지 않은 글 모두 미래로 이어지리라 믿습니다. 교점 없던 사람들이 글로 이어진 것을 생각하면 신기합니다. 대학생활의 마지막을 채운 추억들을 잘 간직하겠습니다.

이하승

문집은 한 번 해봤으니 이번은 수월하겠다던 짐작은 오산이었고, 글을 잊지 않겠다던 다짐은 퇴색되기도 했습니다. 하지만 글을 잊지 않는 당신들 덕분에 여기까지 올 수 있었습니다. 자주 보지는 못했지만 종

종 만나 자연스러운 침묵을 함께했던 순간들이 그리
울 것입니다. 대학 생활 막바지에 큰 숨결이 되어주었
던, 글잇당을 거쳐 간 모든 사람들을 잊지 않겠습니
다.

목성에 닿는 소리

발　행 | 2024년 7월 31일
저　자 | 구창준 남인서 박병준 박성환 배성한 윤예원 이다은 이하승
디자인 | 구창준 이다은
편　집 | 남인서 이다은

펴낸이 | 한건희
펴낸곳 | 주식회사 부크크
등　록 | 2014.07.15.(제2014-16호)
주　소 | 서울특별시 금천구 가산디지털1로 119 SK트윈타워 A동 305호
전　화 | 1670-8316
이메일 | info@bookk.co.kr

ISBN | 979-11-410-9870-4

www.bookk.co.kr
ⓒ 글잇당, 2024